Costura para la casa fácil y rápida

50 proyectos con sus técnicas explicadas paso a paso

GLORIA NICOL

DRAC

Editor: Jesús Domingo
Edición a cargo de Eva Domingo
Revisión técnica: Esperanza González

Título original: *Quick & Easy Home Sewing Projects,* de Gloria Nicol, publicado por Cico Books Ltd. un sello de Ryland, Peters & Small

© 2005, 2002 *by* Cico Books
© 2009 de la versión española
  by Editorial El Drac, S.L.
  Marqués de Urquijo, 34. 28008 Madrid
  Tel.: 91 559 98 32. Fax: 91 541 02 35
  E-mail: info@editorialeldrac.com
  www.editorialeldrac.com

Fotografías: Gloria Nicol
Ilustraciones: Kate Simunek
Diseño de cubierta: José María Alcoceba
Traducción: Ana María Aznar

ISBN: 978-84-9874-059-2
Depósito legal: M-54.877-2008
Impreso en Gráficas Muriel
Impreso en España – *Printed in Spain*

Índice de materias

Capítulo 1

VESTIR LAS VENTANAS

Una ventana vestida con elegancia transforma una habitación. En este capítulo se encuentran bandós fáciles de hacer, cornisas, estores y cortinas con los que dar un aire nuevo a las habitaciones de la casa.

Bandó drapeado sobre la barra

Un bandó drapeado, sobre la barra, decora una ventana lo mismo que una cornisa y se puede utilizar solo o con cortinas. Esta versión presenta un estilo más suave y desenfadado que los pliegues o frunces en cascada, aunque el efecto es muy parecido. Puede ir solo, para vestir una ventana en verano, cuando no hacen falta cortinas, aunque también queda bien enmarcando una puerta. Aquí la sencilla tapicería de cuadros va forrada con una tela lisa contrastada que asoma en los laterales, por entre los suaves pliegues de la caída. Un fleco color crema proporciona un acabado sofisticado que acentúa la forma de los pliegues.

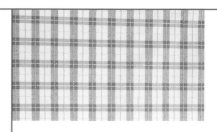

Materiales

- 3 m de tela de algodón para tapicería de 137 cm de ancho
- 3 m de tela de 137 cm de ancho, coordinada, para el forro
- 2 m de galón de fleco
- Hilo de coser a tono

Nota: El bandó mide 93 cm de ancho por 290 cm de largo, para una barra de cortina de 1,2 m a 1,5 m. Adaptar las dimensiones a la medida de la ventana.

Cortar

Nota: De no indicarse otra cosa, se incluye un margen de costura de 1,5 cm.

Cortar un rectángulo de 93 × 293 cm de la tela principal para la parte superior y un rectángulo de 99 × 293 cm de tela coordinada para el forro.

 3 HORAS O MENOS

 CON POCA COSTURA

El dibujo de cuadros del bandó combina con el entorno de estilo rústico-country.

1 Poner la parte superior de la tela y del forro derecho con derecho y prenderlas por un borde largo. Hacer una costura y plancharla abierta.

2 Teniendo las dos telas derecho con derecho, casar los bordes largos y prenderlos de modo que quede un borde estrecho por el lado cosido que será el borde delantero del bandó. Alisar las telas, medir 28 cm a partir de los extremos y marcar con alfileres. Trazar una línea desde el alfiler hasta las esquinas traseras y cortar los triángulos de las dos telas por las líneas.

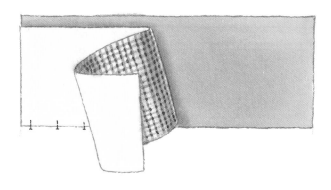

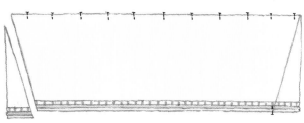

3 Prender los laterales oblicuos y hacer una costura por ellos y por el borde trasero, dejando una abertura de unos 30 cm. Volver del derecho y doblar hacia dentro los márgenes de la abertura, cosiéndola a repulgo. Planchar los bordes.

4 Prender un trozo de fleco sobre el derecho de cada lateral oblicuo, remetiendo hacia el revés un poco de cada extremo, y coserlo a punto por encima.

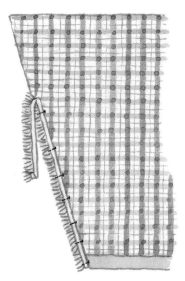

Cornisa de Toile de Jouy

El bandó formando cornisa resulta muy elegante en decoración de ventanas, al tiempo que oculta el mecanismo de montaje de la cortina. El bandó forrado con bucarán autoadhesivo lo arma y lo mantiene estirado. Va montado sobre un sencillo marco de madera. Aquí la cornisa va montada por fuera del hueco de la ventana, por lo que basta con poner unos listones para separarla del marco. Un estampado clásico de Toile de Jouy resulta ligero y bonito para un cuarto de baño o un dormitorio. El color rosa apagado del dibujo se ha retomado en una tela lisa adamascada utilizada para realizar un borde que repite las suaves curvas de la cornisa.

Materiales

- Papel de patrón y lápiz
- 90 cm de cordón fino para vivos y una pieza de 30 × 20 cm de la tela principal para hacer un ribete al bies (optativo)
- Pegamento fuerte para telas
- 0,5 m de tela de algodón para tapicería de 140 cm de ancho
- 13 cm de tela coordinada de 137 cm de ancho
- 80 cm de bucarán autoadhesivo de 45 cm de ancho para bandós
- 1 paquete de gasilla termoadhesiva de 20 cm de ancho
- Listón de madera de 145 cm de largo por 2 cm de ancho
- Taladradora manual o eléctrica
- 6 tornillos de 5 cm
- Tachuelas y martillo
- Sierra de arco
- Hilo de coser coordinado

Nota: La cornisa mide 69 × 37 cm. Adaptar sus dimensiones a la medida de la ventana.

3 HORAS O MENOS

CON POCA COSTURA

El estilo de este modelo es adecuado para telas tradicionales y un ambiente de elegancia formal.

1 Hacer el vivo con parte de los recortes de la tela principal (ver la página 155). Utilizando el pegamento fuerte para telas, pegarlo a lo largo del borde inferior de la cornisa de modo que el cordón siga los dibujos del borde y los cantos queden hacia dentro. Dar unos cortes en el margen de costura del ribete al bies para darle forma en las curvas. Colocar el borde a ondas a lo largo del borde inferior del bandó de modo que se vea el vivo por la parte inferior de la banda y plancharlo. Si se desea, se hace una costura por encima a lo largo de los bordes.

2 Cortar un listón de 69 cm para el lado superior y dos de 34 cm para los costados del marco. Hacer dos agujeros en cada listón a igual distancia y atornillarlos enmarcando la ventana, formando ángulos de 90° en las esquinas.

3 Doblar los 2 cm de arriba del bandó sobre la parte superior del marco y pegarlo en su sitio, asegurándolo con una tachuela en el centro y una en cada extremo. Recortar las esquinas y doblar los costados del bandó sobre los laterales del marco pegándolos en su sitio.

Cortar

Doblar por la mitad a lo ancho una tira de papel de 73 × 15 cm. Medir 8 cm a partir de un lado largo y dibujar una línea atravesada, paralela al borde. Empezando a 8 cm de la esquina inferior de fuera, dibujar una curva suave hasta el borde inferior y subir hasta la línea de doblez central. Recortar la curva, cortando las dos capas de papel y abrir el papel para lograr una forma simétrica.

Cortar un rectángulo de 73 × 39 cm de la tela principal. Siguiendo las instrucciones del fabricante, pegar el bucarán autoadhesivo sobre el revés de la tela. Prender la plantilla de papel en la tela, con el borde recortado sobre el borde inferior de la tela. Dibujar las curvas sobre la tela y recortar.

En la plantilla de papel, dibujar un borde de 3,5 cm de ancho siguiendo las curvas del borde y terminado en punta en el centro. Siguiendo las instrucciones del fabricante, pegar con la plancha la gasilla termoadhesiva sobre el revés de la tela coordinada. Recortar una pieza de borde siguiendo la plantilla.

Estor enrollable

Este atractivo estor enrollable tiene el borde inferior cortado a ondas, repitiendo el dibujo del bandó. Los bordes están rematados con una tira de damasco rosa, coordinada con el bandó. Los estores enrollables requieren poca tela y vestir la ventana resulta económico. Todo cuanto se necesita es un trozo de tela del tamaño de la ventana, añadiendo un poco más de largo para el tubular del listón. Para armar la tela se le da apresto con aerosol o metiéndola en una solución de almidón para que no se deshilen los cantos. Debe cortarse bien cuadrada para que el estor se enrolle por igual. Los kits para estores enrollables suelen ser de dimensiones que aumentan de 30 en 30 cm. Se compra el kit del tamaño siguiente al de la ventana y se corta el vástago a la medida.

Materiales

- Papel para patrón y lápiz
- 1,70 m de tela de algodón para tapicería de 140 cm de ancho
- 20 cm de tela coordinada de 137 cm de ancho
- Apresto en aerosol o disuelto en agua
- Kit de estor enrollable
- 1 paquete de gasilla termoadhesiva de 20 cm de ancho
- 90 cm de cordón fino para vivos (optativo)
- Pegamento para tela
- Sierra de arco
- Hilo de coser coordinado

Nota: El estor mide 56 × 140 cm. Adaptar las dimensiones a la medida de la ventana.

 3 HORAS O MENOS

 CON POCA COSTURA

El estor enrollable es perfecto para ventanas estrechas en las que unas cortinas tendrían excesivo volumen.

1 Colocar los bordes laterales a lo largo de los costados del estor, derecho con derecho, y cortarlos en el borde inferior siguiendo la curva. Aplicar la gasilla termoadhesiva por el revés de las tiras y plancharlas sobre los costados del estor siguiendo las indicaciones del fabricante. Hacer un vivo, si se desea (ver la página 55) con recortes de tela.

2 Con el pegamento para tela, pegar el vivo sobre el borde inferior del estor, siguiendo con el cordón las curvas del borde y situando los cantos hacia dentro. Pegar sobre el revés del borde inferior la gasilla termoadhesiva y planchar sobre la parte inferior del estor, de modo que asome el vivo por debajo. Hacer una costura a ambos lados de ese borde (optativo).

3 Marcar los costados del estor con alfileres situados a 14 cm del borde inferior. Poniendo derecho con derecho, doblar la tela 5 cm hacia los alfileres y hacer una costura a máquina formando un tubular por el revés del estor. Planchar el tubular hacia el borde inferior y coser a máquina un zigzag abierto cruzando el estor encima de la costura.

4 Siguiendo las instrucciones que figuran en el kit del estor enrollable, fijar la parte de arriba del estor al rodillo. Cortar el listón 3,5 cm más estrecho que el estor y meterlo por el tubular. Coser a repulgo las aberturas del tubular. Pasar el cordón por la ranura de sujeción y atornillar ésta al centro de la tabla, atravesando la tela. Fijar la bellota al otro extremo, si se utiliza. Montar las escuadras sobre la pared o el marco de la ventana y colocar el rodillo en su sitio.

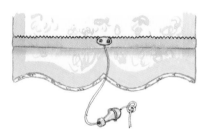

Cortar

Dar apresto a la tela principal y a la tela coordinada con apresto en aerosol o con una solución de almidón. Dejar secar las telas antes de cortarlas al tamaño adecuado.

De la tela principal, cortar al hilo un rectángulo de 56 × 165 cm. Siguiendo las instrucciones para la Toile de Jouy de la página 9, hacer una plantilla de papel de 11 cm de alto para las curvas del borde inferior. Cortar lo mismo de un lado que del otro

para que la plantilla tenga el mismo ancho que la tela. Colocar la plantilla de papel sobre el borde inferior de la tela, dibujar el contorno y recortar.

Dibujar sobre la plantilla un borde de 3,5 cm de alto siguiendo las curvas del borde recortado y formando una punta en el centro. Utilizar la plantilla para cortar una tira de la tela coordinada y dos tiras lisas para los costados de 3,5 cm de ancho y 140 cm de largo.

Cortina con pliegues a punto smock

La forma de colgar una cortina determina el estilo de vestir la ventana: formal o informal, suave y sencillo o estricto y limpio. Los pliegues a punto smock resultan señoriales y son adecuados para ventanas grandes y cortinas largas. Los pliegues se pueden formar a mano pero también se puede comprar un galón de montaje especial que frunce automáticamente la tela en pliegues triples (aunque también hay que calcular dónde se tienen que formar los pliegues para lograr el ancho de la cortina deseado). Los pliegues a punto smock se realzan con un botón forrado que los destaca aún más. Para el forro se elige una tela coordinada con el fin de que la cortina quede igual de bonita por las dos caras.

1 Poniendo derecho con derecho, prender las dos piezas de tela principal una con otra por el centro del frente, casando los motivos en la costura, y coserlas a máquina. Planchar la costura abierta. Unir las dos piezas de forro de igual manera.

Las cortinas hasta el suelo son una forma económica y elegante de evitar corrientes de aire.

Se necesita

- 4,50 m de tela de algodón para tapicería de 140 cm de ancho más lo que mida un motivo
- 4,30 m de forro de cortina de 140 cm de ancho
- 2,5 m de galón para pliegues triples
- 9 botones de 3 cm para forrar
- Ganchos de cortina
- Hilo de coser coordinado

Nota: la cortina, una vez fruncida con los pliegues, mide 106 × 205 cm. Adaptar las medidas a las de la ventana.

Cortar

Nota: En las medidas se incluye un margen de costura de 1,5 cm de no indicarse otra cosa.

Calcular dónde van a quedar los pliegues antes de cortar la tela. De la tela principal, cortar dos largos casados de 122 cm de ancho × 225 cm de largo, teniendo en cuenta las repeticiones de los motivos. De la tela de forro, cortar dos largos de 119 cm de ancho por 212 cm de largo.

DE 6 A 8 HORAS

PROYECTO CON COSTURA

2 Doblar hacia dentro primero 1 cm y luego 4 cm por el borde inferior del forro, prenderlo y coser a máquina. Poniendo derecho con derecho, prender el forro a la tela por un costado, marcar con un alfiler 27 cm desde el borde inferior y coser desde arriba hasta el alfiler. Coser el otro costado de la tela y del forro del mismo modo. Planchar las costuras hacia el forro.

3 Volver las cortinas del derecho. Poniendo revés con revés, planchar los bordes laterales de modo que el forro quede centrado sobre el dorso y que queden dos bandas de tela principal en los costados. Prender e hilvanar las dos telas por el borde de arriba. Volver 5 cm hacia el revés por ese borde.

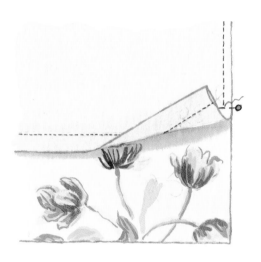

4 De la tela principal, volver hacia el revés primero 3 cm y luego 12 cm por el borde inferior e hilvanar, doblando las esquinas para casarlas con el dobladillo del forro. Coser a mano el dobladillo, doblando las esquinas a inglete (véanse las páginas 149-150).

5 Coser a dobladillo unos 3 cm de los bordes inferiores y laterales del forro sobre los bordes de la tela principal.

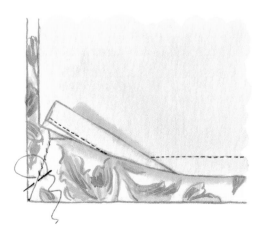

6 Prender el galón de frunce sobre el revés a 6 mm del borde superior, situando los pliegues de modo que quede una zona lisa de igual medida a cada lado de la cortina. Remeter unos 12 mm de galón en cada extremo, dejando los cordones libres en un extremo. Coser el galón por sus cuatro bordes.

7 Tirar de los extremos libres del cordón para fruncir la cabeza de la cortina en pliegues triples, arreglando los pliegues, hasta tener el ancho deseado. Hacer un nudo en los cordones para sujetarlos.

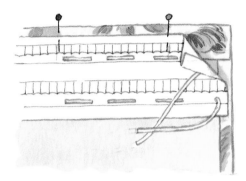

8 Forrar los botones siguiendo las instrucciones del fabricante. Al lado derecho de la cortina, dar unas puntadas a mano por el borde inferior de los tres pliegues juntos para sujetarlos. Coser a mano un botón sobre la costura de los pliegues.

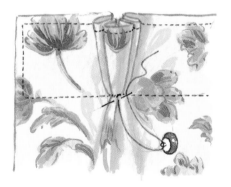

Consejo profesional: Pliegues

Los pliegues a punto smock (también llamados «de pellizco») son los más habituales para cortinas largas hasta el suelo y se pueden hacer de varias maneras.

■ Otra modalidad distinta del galón de pliegues con cordones de este ejemplo, es el tipo con pasadores en los que se inserta un gancho especial de cuatro patas que forman automáticamente un pliegue triple. Antes de cortar la tela se insertan los ganchos en los pasadores del galón, a intervalos determinados por el ancho del panel tapizado que se desee.

■ Cortar el galón, dejando un margen para remeter los extremos, y quitar los ganchos. Cortar la tela según el ancho del galón estirado, más el margen de costura para los dobladillos de los costados.

Complementar con...

Alzapaños

Los alzapaños abrazan las cortinas y las mantienen impecablemente recogidas cuando no se necesitan. Son de por sí un elemento decorativo y pueden hacerse de la misma tela o de otra que haga contraste. Para calcular el largo de un alzapaño se pasa una cinta métrica alrededor de la cortina, plegándola según se desee que quede. El alzapaño se coloca a unos dos tercios desde arriba de la cortina. Se necesitan unos ganchos fijados a la pared o a la ventana para mantener el alzapaño en su sitio. Aquí se ha confeccionado con la misma tela de la cortina, con un ribete contrastado. Una entretela de bucarán termoadhesivo pega la tela con el forro, ahorrando costuras.

Se necesita

- 71 × 15 cm de tela de algodón para tapicería
- 71 × 15 cm de tela que haga contraste
- Una tira de 51 cm de bucarán termoadhesivo de 15 cm de ancho
- 2 anillas
- Hilo de coser coordinado

Nota: El alzapaño tiene una medida de 14 × 70 cm. Adaptar las dimensiones a la medida de la ventana.

Cortar

Nota: Se incluye un margen de costura de 1,5 cm de no indicarse otra cosa.

Utilizando el patrón, cortar una pieza de tela principal, otra de forro y otra de bucarán. Cortar unas tiras al bies de 35 mm de ancho y unirlas con costuras (ver la página 154) hasta tener una tira de 160 cm de largo.

3 HORAS O MENOS

PROYECTO CON POCA COSTURA

Un borde haciendo contraste define la forma del alzapaño.

1 Colocar la tela principal junto con la de forro, revés con revés, con el bucarán entre medias. Siguiendo las indicaciones del fabricante de la entretela, planchar las telas para pegar las capas.

2 Con el derecho del bies sobre el derecho del alzapaño, prenderlo por todo el borde, uniendo los extremos donde se junte (ver la página 155). Coserlo a máquina, haciendo la costura a 12 mm, cortar el margen a 6 mm y volver el ribete hacia el revés del alzapaño.

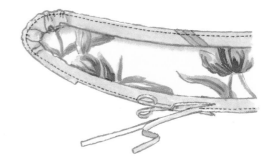

3 Doblar el canto del ribete 9 mm y coserlo a punto de dobladillo por todo alrededor (ver la página 149) con un hilo del mismo color, sobre el revés del alzapaño.

4 Coser a mano una anilla en un extremo del alzapaño por la parte interna de la curva, dando unas cuantas puntadas sobre la anilla.

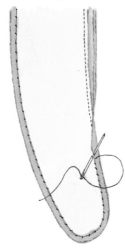

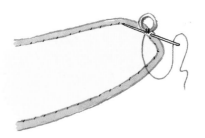

Consejo profesional: Para hacer el patrón

Hacer el patrón doblando una hoja de papel de 71 × 15 cm por la mitad a lo ancho de modo que el doblez coincida con el centro del alzapaño. En el borde inferior, marcar un punto a 7,5 cm del doblez. Dibujar una curva suave hasta el lado opuesto al doblez llegando a unos 6 cm de la esquina de arriba. Dibujar una curva hasta unos 7,5 cm de la esquina en el borde superior y bajar hasta el doblez llegando a unos 3 cm del borde superior. Recortar siguiendo el dibujo y abrir el papel para tener la plantilla completa. Rectificar las curvas si hiciera falta.

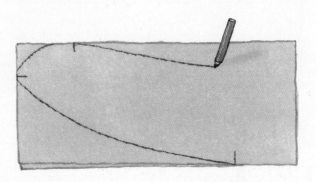

Cortina colgada con cintas

Una tela traslúcida y fina como una voile o un georgette viste con aire romántico una puerta-ventana o una ventana larga –el visillo-cortina se mueve con una leve brisa–. Esta suntuosa tela de georgette bordada lleva arriba y abajo unos bordes de lino, con cintas de raso adornando las costuras. La misma cinta se utiliza para los sencillos lazos con que se cuelga la cortina. Se ha utilizado todo el ancho de la tela para hacer un paño entero, suavemente fruncido. Si la ventana es más ancha, se hacen dos paneles iguales en lugar de uno cosido.

Materiales

- 1,70 m de georgette o voile bordado, de 150 cm de ancho
- 80 cm de tela de algodón o lino de 150 cm de ancho
- 8,70 m de cinta de 12 mm de ancho
- Hilo de coser coordinado

Nota: La cortina mide 142 cm de ancho y 203 cm de alto. Adaptar las dimensiones a la medida de la ventana.

Cortar

Nota: Se incluye un margen de costura de 1,5 cm de no indicarse otra cosa.

Cortar un rectángulo de 161 × 150 cm georgette o voile. Cortar dos tiras de lino para el borde superior de 18,5 × 150 cm y otra para el borde inferior de 34,5 × 150 cm.

3 HORAS O MENOS

PROYECTO CON COSTURA

Las cortinas finas son perfectas para colgarlas donde pueda moverlas la brisa del verano.

1 Prender, derecho con derecho, el borde de lino sobre el borde de la tela de la cortina y hacer una costura a máquina. Recortar los márgenes de costura y plancharlos hacia el borde. Prender una tira de cinta sobre la costura, tapando los cantos, y coserla con un pespunte a lo largo de los dos bordes.

2 Cortar los orillos de los dos laterales. Doblar hacia el revés 1 cm y luego 12 mm y hacer una costura a máquina. Volver hacia el revés 12 mm y luego 2 cm del borde inferior y hacer una costura a máquina.

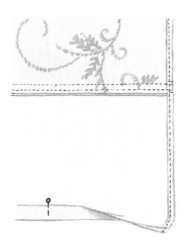

3 Cortar diez tiras de cinta de 56 cm y doblarlas por la mitad a lo ancho. Prenderlas sobre el derecho del borde superior de una de las tiras de lino para el borde superior, situando el doblez sobre el canto de la tela y colocando una cinta a 2,5 cm de cada borde lateral y espaciando las otras ocho por igual. Colocar la otra tira derecho con derecho sobre la primera de modo que las cintas queden entre medias y hacer una costura a máquina. Volver del derecho y planchar.

4 Poniendo derecho con derecho, prender el borde inferior de la cara delantera de la tira sobre el borde superior de la cortina; hacer una costura a máquina. Volver del derecho y planchar la costura. Poner derecho con derecho las piezas del borde, prenderlas y hacer una costura en los cantos de modo que esa costura quede alineada con la del costado de la cortina. Recortar los márgenes, volver hacia el derecho el borde de arriba y planchar. Doblar 1,5 cm hacia el revés el borde inferior de la pieza trasera del borde y hacer una costura. Sobre el frente, prender una cinta sobre la costura, remetiendo los extremos hacia el revés, y coserla a lo largo de los dos bordes.

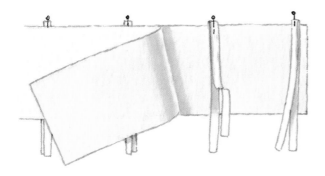

Cortinas con cintas decorativas

Las caídas largas de una tela lisa o con dibujo menudo pueden resultar monótonas, pero si se adornan con unas tiras de galón de algodón o cintas cosidas en horizontal, se alteran las proporciones y se rompen las zonas grandes. Los galones o cintas pueden ser de distinto ancho, pero se cosen a la misma altura para que al cerrar las cortinas queden alineados. Para determinar su colocación, se extienden las cortinas en el suelo y se prueban distintas alturas. Las cortinas de este ejemplo tienen un ancho de tela. Si la ventana es más ancha, se unen varios anchos para hacer cortinas mayores (ver la página 157).

1 Cortar los orillos de la tela de tapicería. Prender la cinta de algodón sobre el derecho de la tela a lo ancho de las dos caídas, alineándolas bien y situando la cinta ancha a 34 cm del borde inferior y la cinta estrecha a 3 cm por encima de la otra. Coserlas a lo largo de sus dos bordes.

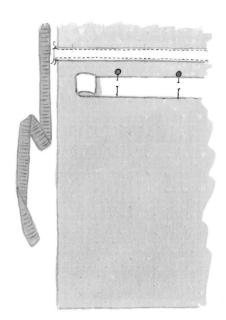

Las cintas decorativas equilibran las cortinas con el reborde de la ventana.

Materiales

- 3,70 m de tela de tapicería de 145 cm de ancho, más el largo de un motivo si fuera necesario
- 3,50 m de forro de 140 cm de ancho
- 2,90 m de galón de algodón de 38 mm y de 25 mm
- 2,70 m de galón de pliegues finos
- Ganchos para cortina
- Hilo de coser coordinado

Nota: Estas cortinas están montadas sobre una barra de unos 122 cm. Cada cortina mide 133 cm de ancho y 165 cm de alto sin fruncir. Adaptarlas a las dimensiones de cada ventana.

Cortar

Nota: Se incluyen márgenes de costura de 1,5 cm de no indicarse otra cosa.

Se utiliza todo el ancho de la tela de tapicería y se cortan dos largos de 185 cm. De la tela de forro, cortar dos largos de 172 cm con un ancho de 130 cm.

⏱ DE 6 A 8 HORAS

🧵 PROYECTO CON COSTURA

2 Volver hacia el revés 1 cm y luego 4 cm el borde inferior del forro, prenderlo y coserlo a máquina. Poner derecho con derecho el forro sobre la tela principal casando un lateral. Poner un alfiler a 27 cm del borde inferior de la pieza principal y hacer una costura desde arriba hasta el alfiler. Unir de igual manera el otro costado del forro con la tela principal. Planchar las costuras hacia el forro.

3 Volver hacia el derecho y planchar los costados de modo que el forro quede centrado en el dorso, con un borde de tela principal igual a cada lado. Prender e hilvanar las dos telas por el borde de arriba.

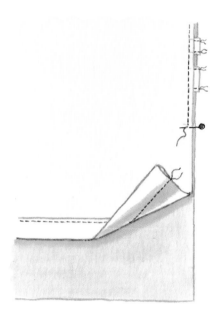

4 Volver hacia el revés 1,5 cm y luego 12 cm del borde inferior de la tela principal e hilvanar, doblando las esquinas a inglete (ver la página 150) para que queden a la misma altura del forro. Coser a mano un dobladillo.

5 Coser a dobladillo los bordes laterales del forro sobre el borde de la tela y seguir por la parte inferior haciendo unos 3 cm más de dobladillo.

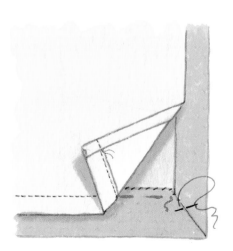

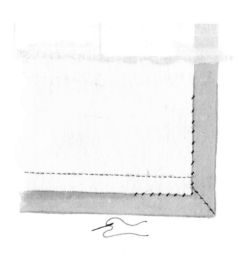

6 Volver hacia el revés 5 cm por el borde superior de la cortina. Prender el galón de pliegues sobre el revés, a unos 6 mm del borde superior. Doblar hacia dentro 12 mm de galón en cada extremo. Coser el galón por sus cuatro bordes remetiendo los cordones de uno de los extremos.

7 Tirar de los extremos de los cordones del galón para fruncir la cabeza de la cortina hasta tener el ancho adecuado. Anudar los cordones. Hacer la otra cortina igual, tirando de los cordones al otro lado del galón de pliegues en esa cortina.

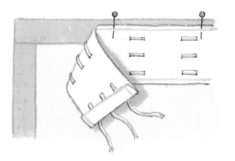

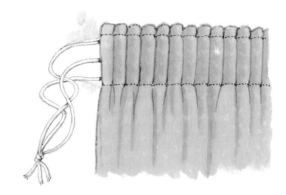

Consejo profesional: Entrenar las cortinas

Las cortinas hasta el suelo deben formar pliegues rectos y con gracia. Esto es tanto más importante en un estilo como éste, con un sencillo remate horizontal. Para lograr un acabado profesional hay que dar forma o «entrenar» las cortinas una vez colgadas.

■ Cortar primero ocho o diez tiras de cinta, de un largo suficiente para abrazar con ellos cada caída cuando las cortinas estén abiertas.
■ Con las cortinas abiertas, alisar con las dos manos la tela colocando los pliegues y juntándolos, comprobando que los dos costados queden mirando hacia la ventana/pared. Atar una cinta alrededor de la caída para que los pliegues queden con buena forma (sin apretar para no marcar la tela). Ir atando otras cintas, a trechos regulares, por encima y por debajo de la primera.
■ Dejar las cintas puestas durante cuatro o cinco días para que se asienten los pliegues.
■ Para colgar las cortinas, fijar los ganchos en el galón de frunce y pasarlos por las anillas de la barra.

Estor fruncido

Este sencillo estor queda liso y discreto cuando está bajado, y adquiere un aspecto informal y agradable cuando está subido. Bastan dos cordones para levantar el estor a la altura deseada, y se pueden añadir unas cintas, del mismo color o de un color que haga contraste, para decorar y sujetar el estor, aunque no son imprescindibles. Unas hembrillas en el estor enganchan en las escarpias fijadas en el marco de la ventana, con lo que el estor es muy fácil de poner y quitar. El estilo es sencillo y es adecuado para un dormitorio, una casa en la playa o en el campo. El lino utilizado, de rayas en crema y amarillo, resulta fresco y limpio y es perfecto para el verano. Las telas más indicadas son las de rayas o cuadros.

1 Poniendo derecho con derecho, prender el borde superior del forro sobre un borde estrecho de la tela principal y hacer una costura a máquina. Prender el otro borde largo del forro con el otro borde estrecho de la tela y hacer otra costura igual. Planchar la costura abierta.

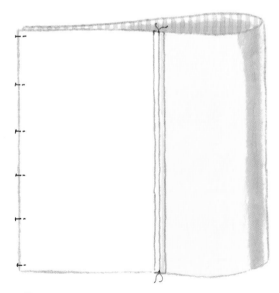

Este sencillo estor, con sus líneas simples y su estilo discreto, es perfecto para casi todo tipo de ventanas.

Materiales

- 1,40 m de tela de tapicería de 140 cm de ancho
- 80 cm de forro para cortina de 140 cm de ancho
- 102 cm de listón de madera de 3,5 × 1,5 cm
- 20 anillas de plástico de 12 mm y cinco hembrillas de tornillo
- Punzón
- 3,70 m de cordón de nailon
- Barrita de sujeción del cordón y bellota
- 2 escarpias
- Hilo de coser coordinado
- 3,20 m de cinta de grosgrain de 3 cm de ancho (optativo)

Nota: el estor mide 105 cm de ancho × 121 cm de alto. Adaptarlo a la medida de la ventana.

Cortar

Nota: Se incluyen márgenes de costura de 1,5 cm de no indicarse otra cosa.

Cortar una pieza de tela para el frente de 138 × 135,5 cm y otra de 78 × 135,5 cm para el forro.

DE 6 A 8 HORAS

PROYECTO CON COSTURA

2 Doblar los bordes laterales, derecho con derecho, para que el forro quede centrado en la trasera del estor, y prender por un borde abierto, que será el borde inferior del estor. Hacer una costura y volver del derecho, planchando los costados para que queden rectos.

3 Prender los bordes del lado superior abierto y hacer una costura a 7 cm del borde y paralela a él para que quede un bolsillo. Meter el listón en el bolsillo y situarlo de modo que la costura quede por el borde delantero del listón.

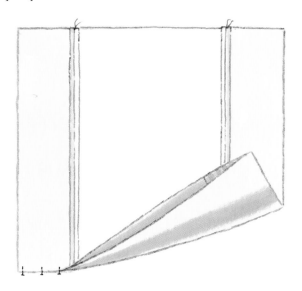

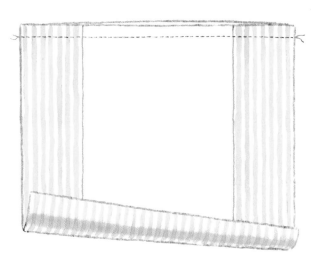

4 Doblar la trasera del estor en torno al listón y doblar el bolsillo delantero en dirección contraria para terminar de envolver el listón. Remeter los extremos y hacer un punto de dobladillo para encerrar el listón.

5 Por el dorso del estor, marcar la posición de las anillas a lo largo de la costura donde se unen el forro y la tela principal, poniendo las primeras anillas a 3 cm del borde inferior y las demás a intervalos de 12 cm. Coser a mano las anillas en su sitio, pasando varias veces la hebra por cada anilla.

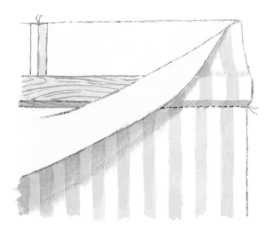

6 Volver el listón forrado hacia dentro para que el estor quede liso por el frente. Con el punzón, hacer un agujero en la tela y luego en la madera a cada lado, donde se unen el forro y la tela, en línea con las anillas. Hacer otro agujero por debajo del listón a 2 cm del extremo donde se van a pasar los cordones y poner otra hembrilla de tornillo. Hacer dos agujeros y poner hembrillas arriba, alineadas con las anillas.

7 Atar un cordón en cada anilla de la parte inferior, pasarlo por las demás anillas del estor y por las hembrillas de debajo del listón hacia el lateral desde donde se vayan a manejar los cordones para subir y bajar el estor. Pasar los dos extremos por una bellota y anudarlos.

8 Montar el estor sobre el marco de la ventana con dos escarpias que coincidan con las hembrillas situadas arriba del listón. Si se desea, cortar un galón en dos trozos iguales y anudarlos sobre el estor alineándolos con las hembrillas. Fijar una barrita de sujeción a un lado del marco de la ventana.

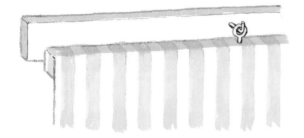

Consejo profesional:
Abrazaderas de cinta

Unas cintas de grosgrain abrazando el estor por debajo son un remate perfecto.

■ La cantidad de galón indicada en la página 25 se puede anudar a unos 64 cm de la parte superior, dejando unos lazos de unos 13-15 cm de largo. Para hacer abrazaderas más o menos largas, calcular el doble de largo de cinta de la altura a la que vaya a ir subido el estor normalmente, más unos 30 cm. Para mayor flexibilidad, añadir un poco más; cuando se sube el estor, se puede hacer una lazada en lugar de un nudo.
■ El centro de la cinta se puede sujetar en el listón de arriba con tachuelas o con pegamento para telas. Para poderlo quitar mejor para lavar o limpiar en seco, se cose con unas puntadas a la tela.

Estor plegado

El estor plegado al estilo romano forma unos pliegues suaves al recogerlo y, cuando está bajado, queda sencillo y liso. Los listones cosidos en la estructura del estor le dan peso y los pliegues se forman rectos e impecables. Una bellota de latón es otro elemento que proporciona peso y de este modo los cordones quedan tirantes. Si el estor es más ancho que la tela, se unen los paños formando un panel central y dos laterales más estrechos casando el dibujo de la tela en las costuras. Aquí se ha añadido un remate de pompones y se ha cosido una cinta de algodón a los lados como motivo decorativo.

1 Prender la tira de las vistas derecho con derecho sobre un lado corto del forro. Hacer una costura a máquina y planchar la costura abierta. Doblar y planchar el margen de costura a lo largo del otro borde corto del forro que será el borde superior del estor. Prender un trozo de cinta sobre el derecho del estor, paralelo a los costados y a 15 cm de cada uno de ellos. y coserlo por sus dos bordes.

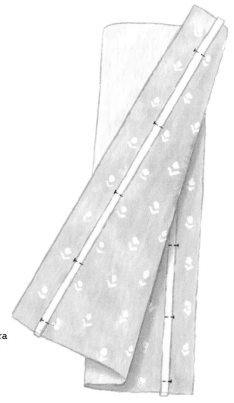

Los estores lisos son perfectos para la cocina porque no atrapan los olores de la comida.

Materiales

- 1,70 m de tela de tapicería de 137 cm de ancho
- 1,30 m de forro para cortina de 137 cm de ancho
- 3 m de cinta de algodón de 2,5 cm de ancho
- 1,20 m de galón con pompones
- Cinta de pintor
- 1,20 m de cinta velcro de 5 cm de ancho
- 5 listones de madera de 116 × 22 × 7 mm
- 20 anillas de plástico de 15 mm
- 4 hembrillas de 15 mm
- Listón de 5 × 3 cm, de 113 cm de largo
- Pistola grapadora o tachuelas
- 11 m de cordón de nailon
- Hilo de coser coordinado
- Bellota y barrita de sujeción para cordones

Nota: El estor mide 117 × 145 cm. Adaptarlo a la medida de la ventana.

Cortar

Nota: se incluye un margen de costura de 1,5 cm de no indicarse otra cosa

De la tela principal, cortar un rectángulo de 120 × 148 cm para el frente y una tira de 120 × 18 cm para las vistas. De la tela de forro, cortar un rectángulo de 120 × 133 cm.

DE 6 A 8 HORAS

PROYECTO CON COSTURA

2 Doblar y planchar el margen de costura del borde superior del frente. Prender el galón de pompones sobre el derecho del borde inferior del estor de forma que los pompones miren hacia dentro y queden por dentro del margen de costura; hilvanarlo a mano. Poniendo las telas derecho con derecho, prender la tela del frente y la del forro de manera que la vista del forro quede pegando al galón de pompones. Prender dos alfileres en los costados, uno alineado con la costura que une las vistas al forro y otro a 3 cm por encima, para marcar la posición del primer pasacintas para el listón. Marcar los otros cuatro pasacintas de igual modo, dejando 25 cm entre cada uno. Coser a máquina los dos laterales y el borde inferior, dejando abiertos el borde de arriba y los espacios de los pasacintas entre los alfileres.

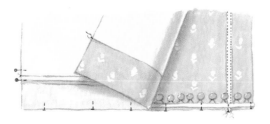

3 Volver el estor del derecho y planchar los bordes. Pegar unas tiras de cinta de pintor sobre la tela de un costado a otro para marcar los bordes de los pasacintas. Guiándose por las cintas, hacer una costura sobre todas las capas para formar los pasacintas. Prender el lado de velcro de coser sobre el revés del borde superior y coserlo.

4 Cortar los listones un poquito más cortos que el ancho del estor. Pasarlos por los pasacintas y cerrar la abertura con un repulgo.

5 Marcar las posiciones de las anillas sobre el revés en el borde superior de cada pasacintas, prendiendo un alfiler a 5 cm de cada costado y poniendo otros dos a intervalos iguales. Coser a mano las anillas en cada marca de alfiler.

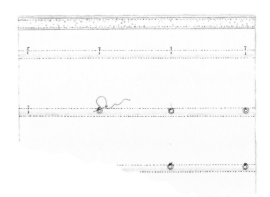

6 Poner cuatro hembrillas de tornillo, espaciándolas a la misma distancia que las anillas, en el borde inferior del listón de madera fijado arriba de la ventana. Pegar la otra tira de velcro sobre el frente del listón y sujetarla además con unas grapas o tachuelas. Colgar el estor uniendo las dos tiras de velcro.

7 Trabajando por el revés del estor, pasar cuatro cordones de distinto tamaño por una hembrilla y luego por las anillas del estor, haciendo un nudo en la anilla de más abajo. Los cuatro cordones se unen arriba del estor y se pasan por una bellota, haciendo un nudo a los cuatro juntos, a la altura que pida la ventana. Fijar una barrita de sujeción de los cordones a un lado del marco de la ventana.

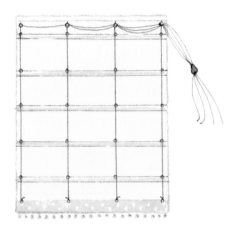

Consejo profesional: Pasamanería

El galón de pompones utilizado como remate de este estor va bien con ambientes modernos o tradicionales algo informales. Para una habitación de estilo clásico o romántico, se elige el remate que mejor destaque ese efecto.

■ En tiendas de tapicería, en mercerías y a través de Internet se encuentran remates ya confeccionados, como flecos.

■ Para un estilo más desenfadado y moderno, se pueden elegir galones con hilos metálicos que reflejan la luz de la ventana.

■ Quienes sepan hacer labores de ganchillo, pueden confeccionar su propio remate con hilo de algodón a juego o contrastado con la tela. Se empieza haciendo uno o dos motivos a ganchillo, se prende la muestra sobre la tabla de planchar y se prende o se plancha para que mantenga la forma. Con esa muestra se calcula el largo de la pieza para rematar el borde inferior del estor.

■ Coser a mano el remate al estor, con puntadas pequeñas.

Estor veneciano

Este tipo de estores se coloca bien cuando está recogido, por lo que resultan perfectos para las habitaciones en las que se puedan dejar casi siempre levantados. También puede utilizarse para vestir ventanas junto con visillos o un estor enrollable por debajo. El galón de frunce fino de arriba necesita dos anchos o dos anchos y medio de tela.

Materiales

- 3,60 m de tela de tapicería de 140 cm de ancho, más la altura de un motivo para casar el dibujo (ver la página 157)
- 2,60 m de forro para cortina de 140 cm de ancho
- 2,50 m de vivo ya hecho o 2,50 m de cordón para vivo y una tira de 30 × 50 cm de tela de algodón que haga contraste
- 5,70 m de cinta para estor veneciano
- 2,50 m de galón de frunce fino de 7,5 cm de ancho
- 20 hembrillas de tornillo
- Punzón
- 7,80 m de cordón de nailon para estor
- 15 ganchos de cortina
- Listón de madera de 5 × 3 cm, de 97 cm de largo, fijado arriba del marco de la ventana
- Bellota y barra para sujetar el cordón
- Hilo de coser coordinado

Nota: El estor es para una ventana de unos 102 cm de ancho por 107 cm de alto. Mide 236 cm de ancho y 142 cm de alto extendido (incluido el volante). Adaptarlo a la medida de la ventana.

 DE 6 A 8 HORAS

 PROYECTO CON POCA COSTURA

El estor veneciano, con sus múltiples frunces, adquiere un volumen muy adecuado para telas con apresto.

1 Prender y coser las dos piezas del frente, derecho con derecho, casando el dibujo por todo el centro. Planchar la costura abierta. Prender el vivo por el borde inferior, casando los cantos, con el cordón por dentro de la costura e hilvanar a mano.

2 Poniendo derecho con derecho, prender dos piezas para el volante por un borde corto, coser y planchar la costura abierta. Unir las otras dos tiras del mismo modo y luego coser las dos piezas para obtener una tira larga. Doblar la tira de volante derecho con derecho por la mitad a lo largo, prenderla en los extremos y coserla.

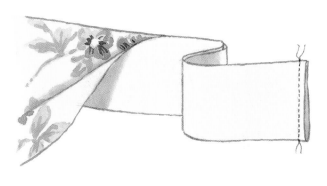

3 Recortar los márgenes de costura, volver la tira del derecho y plancharla. Con los derechos hacia fuera, hilvanar los cantos juntos a mano.

Cortar

Nota: Se incluyen márgenes de costura de 1,5 cm de no indicarse otra cosa.

De la tela principal, cortar dos largos de 121 × 140 cm que casen, teniendo en cuenta la repetición del motivo, y cuatro tiras de 18 × 121 cm para el volante.

De la tela de forro, cortar dos rectángulos de 121 × 140 cm.

Si se va a hacer el vivo, cortar unas tiras al bies de una tela que haga contraste y hacer un vivo de 2,40 m (ver la página 155).

4 Fruncir el volante por los cantos y hacer dos filas de costura larga a máquina, tirando de los hilos de la canilla hasta que tenga la medida de la parte inferior del estor. Prender el volante sobre el vivo e hilvanarlo a mano.

5 Prender el forro con el estor, derecho con derecho, y coser los dos costados y el borde inferior, sujetando el volante y el vivo. Volver hacia el derecho y planchar los bordes. Prender el forro con los bordes del frente por la parte de arriba. Doblar 4 cm hacia el revés y planchar el doblez. Hilvanarlo a mano.

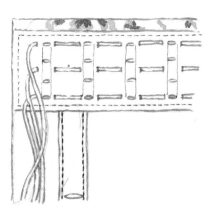

6 Cortar cuatro largos iguales de cinta para estor veneciano, de la altura del estor desde el volante hasta 7,5 cm del borde superior, comprobando que los pasacintas para el cordón quedan bien alineados en horizontal. Prender las cintas de los lados a 4 cm de los bordes y coserlas a máquina, por ambos bordes de la cinta. Prender las otras dos cintas en medio, espaciándolas por igual, y coserlas a máquina como antes.

7 Prender el galón de frunce por el borde superior del estor, a 1,5 cm del doblez. Anudar los cordones en un extremo y dejarlos sueltos en el otro. Remeter los extremos del galón hacia dentro y coserlo por sus cuatro bordes.

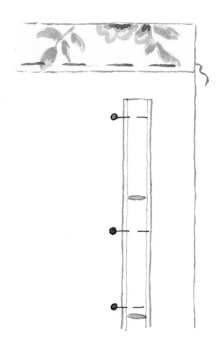

8 Con un punzón, marcar cuatro agujeros en el borde inferior del listón de madera y atornillar una hembrilla en cada uno, poniendo una hembrilla a 4,5 cm de cada extremo y las otras dos en medio, a intervalos iguales. Poner otra hembrilla en ese mismo borde a 2,5 cm del extremo desde donde se tirará de los cordones. Hacer quince agujeros a intervalos iguales por la cara frontal del listón, a 2,5 cm del borde superior y haciendo los agujeros de los extremos a 3 cm de cada borde, espaciando por igual los otros 13. Atornillar una hembrilla en cada agujero. Fruncir el galón tirando de los cordones hasta que el estor tenga la medida de la ventana.

9 Anudar los cordones. Pasar los ganchos por los pasadores de arriba del galón y espaciarlos de modo que cada uno corresponda a una hembrilla del listón. Colgar el estor en su sitio. Pasar un cordón de abajo arriba por cada pasacintas del estor y luego por las hembrillas hacia el lado desde donde se tirará de los cordones, sujetando cada cordón al primer pasacintas con un nudo. Pasar los cordones juntos por una bellota y hacer un nudo para sujetarlos y tirar de ellos juntos. Fijar la barrita de sujeción.

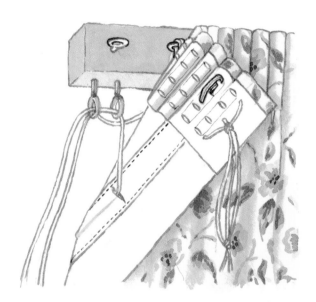

Consejo profesional: Frunces

Cuando haya que fruncir una pieza larga de tela, como este volante, conviene hacerlo por segmentos.
■ Dividir los dos bordes en el mismo número de secciones iguales.
■ Fruncir la tela desde el derecho para que los hilos más flojos de la bobina queden arriba para tirar de ellos. Si se hacen dos filas de costura, una a cada lado de la línea, los frunces quedan más suaves.
■ Prender cada sección del volante sobre la tela estirada, casando las divisiones. Sujetar los hilos de frunce en un extremo enrollándolos sobre un alfiler. Tirar de los hilos del otro lado hasta que el volante coincida con la tela; sujetar los hilos y repartir bien el vuelo, prendiendo las dos piezas a intervalos cortos. Hilvanar.
■ Hacer la costura entre las dos filas de frunce, que se pueden quitar luego.

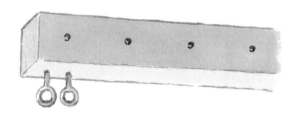

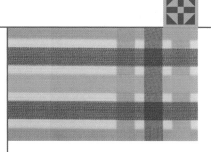

Bandó fruncido

Un bandó forrado es un remate suave y gracioso para vestir una ventana de estilo rústico. Aquí se utiliza un galón de frunce estrecho: se cose dejando por lo menos 4 cm de cabecilla arriba del bandó para ocultar la barra. Se pueden utilizar otros tipos de galones para formar la cabecilla del bandó; ver en la página 157 las indicaciones para calcular los anchos de tela que requieren los distintos tipos. Esta tela de cuadros de tonos frescos verdes y azules queda muy bien con unas cortinas a juego, pero aquí se ha combinado con un visillo traslúcido, fruncido sobre una barra aparte.

Materiales

- 60 cm de tela de tapicería de 137 cm de ancho, más lo que mida la repetición de un motivo
- 60 cm de tela de forro de 137 cm de ancho
- 2,20 m de galón de frunce
- Ganchos para cortina
- Hilo de coser coordinado

Nota: El bandó mide 25,5 × 218 cm, para una barra de unos 91-122 cm de largo. Adaptarlo a la medida de la ventana.

Cortar

Nota: Se incluye un margen de costura de 1,5 cm de no indicarse otra cosa.

De la tela principal, cortar dos tiras iguales de 28,5 × 112 cm teniendo en cuenta la repetición del dibujo. De la tela de forro, cortar dos tiras de 28,5 × 112 cm.

1 Prender las dos tiras de la tela principal, uniéndolas derecho con derecho por un lado corto, casando el dibujo, y coserlas a máquina. Planchar la costura abierta.

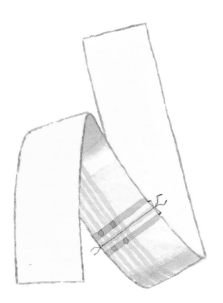

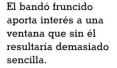
El bandó fruncido aporta interés a una ventana que sin él resultaría demasiado sencilla.

🕐 3 HORAS O MENOS

🧵 PROYECTO CON POCA COSTURA

2 Prender las dos tiras de forro, uniéndolas derecho con derecho por un lado corto y coserlas a máquina. Planchar la costura abierta.

3 Poniendo las telas derecho con derecho, unir el frente con el forro y hacer una costura a máquina por los cuatro bordes. Dejando una abertura de 25 cm en la parte superior.

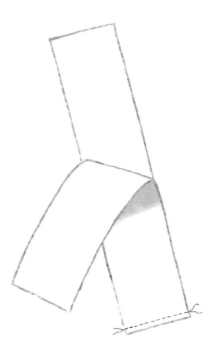

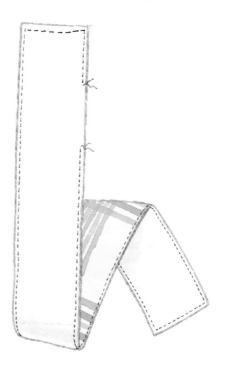

4 Recortar las esquinas y volver el bandó del derecho. Planchar hacia dentro el margen de costura de la abertura. Coser la abertura a repulgo y planchar.

5 Prender el galón de frunce sobre el revés, a 4 cm del borde superior del bandó. Anudar los cordones en un extremo y dejarlos sueltos en el otro. Remeter 12 mm de galón en los extremos. Coserlo a máquina por sus cuatro bordes.

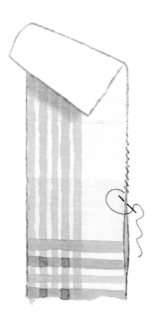

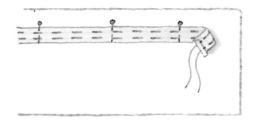

6 Tirar de los cordones sin anudar, distribuyendo los frunces por igual en el bandó hasta que quede a la medida de la barra. Pasar los ganchos por los pasadores del galón y colgarlos en las anillas de la barra.

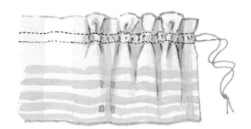

Consejo profesional: Fruncir a la medida adecuada

Si se intenta fruncir todo el galón de una vez, sin calcular las medidas previamente, es probable que se frunza demasiado y que el bandó quede corto para la ventana.

Primero se marcan en la tela los puntos de la cuarta parte, la mitad y tres cuartos. Luego se mide el hueco de la ventana para calcular cuánto se debe fruncir el bandó o la cortina y se divide esa medida entre cuatro para ver cuánto debe medir cada sección. Empezando desde el centro de la tela,

se frunce el primer cuarto, tirando de los cordones del galón para que la tela quede a la medida calculada. Rectificar los frunces a mano para repartirlos bien: es más fácil trabajar una sección de tela relativamente pequeña.

Repetir el proceso partiendo del centro hacia el otro cuarto y luego trabajar las secciones de los extremos.

Capítulo 2

ROPA DE CAMA

La ropa de cama sorprende por lo fácil que resulta de confeccionar y por la sencillez con la que se cambia con ella la decoración de un dormitorio. En este capítulo se confeccionan juegos de cama y complementos como rulos y almohadillas de lavanda.

Almohada con volante

Un volante haciendo contraste aporta un toque suave y romántico a la almohada. Se puede complementar con un volante alrededor de la cama, cubriendo el somier. Para la tela principal se elige un motivo de flores o de cuadros y para el volante un color liso.

1 Doblar 1 cm de borde y luego 1,5 cm hacia el revés de un lado corto de la pieza para el dorso y coser el dobladillo a máquina. Hacer otro dobladillo igual en un borde largo de la solapa.

Materiales

- 1,10 m de tela de algodón de 137 cm de ancho
- 1,60 m de tela de algodón de 90 cm de ancho para el volante
- Hilo de coser coordinado

Nota: La funda es para una almohada estándar de 75 × 50 cm.

Cortar

Nota: Se incluye un margen de costura de 1,5 cm de no indicarse otra cosa.

Cortar dos piezas de 78 × 53 cm de la tela principal para el frente y el dorso y una pieza de 24 × 53 cm para la solapa. De la tela para el volante, cortar dos tiras de 159 × 19 cm para los volantes de arriba y de abajo y dos de 109 × 19 cm para los volantes de los laterales.

 3 HORAS O MENOS

 PROYECTO CON COSTURA

Las telas de cuadros aportan estilo y ofrecen la posibilidad de introducir colores en la ropa de cama.

Consejo profesional: Variaciones con estilo

Este diseño ofrece muchas posibilidades si se desea confeccionar una serie de fundas.

- Para una cama doble, se invierte el uso de la tela de cuadros y la tela lisa para hacer dos fundas con volante liso y dos con volante de dibujo.
- Para una cama individual, la tela de dibujo se puede utilizar para el frente de una almohada y para el dorso de otra.

2 Unir las tiras del volante derecho con derecho, poniendo una lateral con la larga de arriba. Prenderlas por un lado corto, coserlas y planchar las costuras abiertas. Coser la otra tira lateral con la larga de arriba y planchar la costura. Coser la tira de abajo con los bordes cortos de las dos laterales de igual manera.

3 Poniendo revés con revés, doblar la tira obtenida por la mitad a lo largo. Hilvanar los cantos y planchar el doblez. Fruncir la tira por los cantos (hilvanados), utilizando una hebra doble si se hace el frunce a mano o poniendo las puntadas más largas si se hace a máquina.

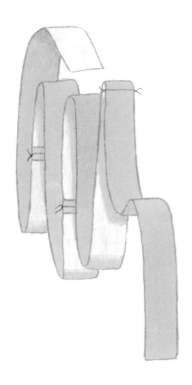

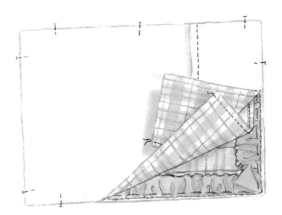

5 Poniendo derecho con derecho, prender el dorso de la funda de almohada sobre el frente con el volante cosido entre medias, alineando un canto lateral del dorso con un lateral del frente. Prender la solapa con el derecho hacia abajo, encima del borde con dobladillo con la pieza del dorso, alineando su canto con el otro lateral del frente, y hacer una costura a máquina por los cuatro lados. Rematar los bordes con un zigzag y volver la funda del derecho. Planchar.

4 Casar los cantos del volante con el borde del frente de la funda de almohada por el derecho, alineando las costuras, y coserlo.

Borde de almohada con galón

El azul pato y el crema forman una combinación con múltiples posibilidades. El galón por el interior de la franja de borde recuerda los bordados con vainicas a mano.

1 Doblar hacia el revés 1 cm y luego 1,5 cm por el borde corto de la pieza frontal y coser el dobladillo a máquina. Repetir con un lado corto de la pieza trasera. Marcar con un alfiler 27 cm a partir del dobladillo en cada lado largo de la pieza frontal para indicar el doblez de la solapa.

2 Poner derecho con derecho las piezas frontal y trasera, alinear los cantos cortos y prender. Doblar la solapa hacia el revés por las marcas del alfiler. Hacer una costura por tres lados, dejando abierto el del doblez de la solapa. Volver la funda del derecho y planchar. Prender el galón todo alrededor del frente de modo que forme una franja a 5 cm del borde y coserlo.

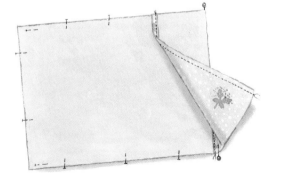

Materiales

- 1,20 m de tela de algodón blanco de 137 cm
- 2,70 m de galón de 9 mm de ancho
- Hilo de coser coordinado

Nota: La funda está calculada para una almohada estándar de 75 × 50 cm.

Cortar

Nota: Se incluye un margen de costura de 1,5 cm de no indicarse otra cosa.

Cortar un rectángulo de 116 × 63 cm para el frente y otro de 83 × 63 cm para el dorso.

🕐 3 HORAS O MENOS

🧵 PROYECTO CON POCA COSTURA

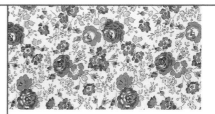

Funda de edredón

Un panel central de tela de flores aplicado sobre el frente de una funda de edredón introduce un elemento decorativo. Para hacer el juego de cama a tamaño mayor, unir las piezas y coser una cinta sobre las costuras para lograr un acabado profesional.

Materiales

- 4,30 m de tela de algodón de 140 cm de ancho
- 1,50 m de tela de algodón de flores coordinada, de 115 cm de ancho
- 4,50 m de cinta de 6 mm de ancho
- 6 botones de 15 mm
- Hilo de coser coordinado

Nota: La funda está calculada para un edredón estándar de 136 × 203 cm.

Cortar

Nota: Se incluye un margen de costura de 1,5 cm de no indicarse otra cosa.

Cortar dos rectángulos de 139 × 213 cm de la tela principal para el frente y la trasera. Cortar un rectángulo de 143 × 81 cm de la tela de flores para el panel frontal.

DE 6 A 8 HORAS

PROYECTO CON COSTURA

Un panel central que contraste delicadamente con la tela, como el de la izquierda, se puede aplicar también sobre una funda de edredón ya confeccionada.

1 Doblar hacia el revés 1 cm y luego 4 cm por un borde estrecho de una de las piezas principales para hacer el borde inferior del frente; coser el dobladillo. Hacer otro dobladillo igual en el borde inferior de la otra pieza principal para la trasera. Hacer seis ojales en el dobladillo de la trasera, situando el primero y el último a 10 cm de los bordes y espaciando por igual los otros cuatro.

2 Volver el margen de costura del panel por los cuatro bordes y plancharlo. Poniendo el revés del panel sobre el derecho de la pieza frontal, prenderlo centrado sobre el frente y hacer una costura todo alrededor, junto al borde.

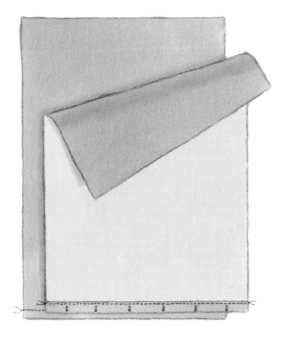

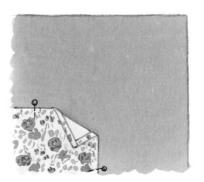

3 Prender la cinta sobre los bordes del panel, doblando las esquinas, y coserla, haciendo una costura por sus dos bordes. Poniendo derecho con derecho, prender y coser el frente sobre la trasera, por los laterales y la parte superior.

4 Rematar los cantos con un zigzag a máquina, volver la funda del derecho y plancharla. Doblar hacia dentro el borde con dobladillo del frente y de la trasera y planchar el doblez. Hacer una costura junto al borde sobre las dos capas de tela, a 6 cm de cada borde lateral. Coser los botones haciéndolos casar con los ojales.

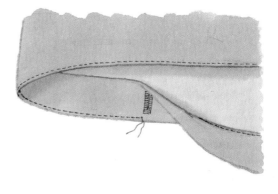

Almohada a juego

La funda de almohada estándar a juego con el edredón se hace rápida y fácilmente. Unas franjas simétricas de tela de flores coordinada rompe la monotonía del color liso. Unas líneas de cinta, cosidas sobre un canto de la franja, aportan un detalle decorativo más, además de ocultar el canto.

Materiales

- 1,10 m de tela de algodón lisa de 140 cm de ancho
- 0,20 m de tela de algodón de flores de 115 cm de ancho
- 1,10 m de cinta de 6 mm de ancho
- Hilo de coser coordinado

Nota: La funda sirve para una almohada estándar de 75 × 50 cm.

Cortar

Nota: Se incluye un margen de costura de 1,5 cm de no indicarse otra cosa.

De la tela principal, cortar un rectángulo de 54 × 79 cm para el frente y un rectángulo de 54 × 101 cm para el dorso y la solapa interior. De la tela de flores, cortar dos tiras de 15 × 54 cm.

 3 HORAS O MENOS

 PROYECTO CON COSTURA

Las almohadas a juego con las sábanas resultan sofisticadas y se confeccionan fácilmente.

1 Prender el derecho de la tira de flores sobre el revés del frente, casándola con un costado, y hacer una costura a máquina. Volver la tira hacia el derecho e hilvanar a mano el canto sobre el derecho del frente. Prender una tira de cinta sobre el canto y coserla por sus dos bordes.

2 Prender el revés de la otra tira de flores sobre el derecho del otro lado del frente, casando los cantos. Hilvanarla junto a los cantos. Prender una tira de cinta sobre el canto interno y coserla del mismo modo que antes.

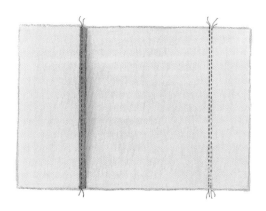

3 Doblar 6 mm y luego 1 cm a lo largo de un lado corto del dorso para la solapa y coserlo. Poniendo derecho con derecho y casando los bordes, prender la pieza del frente sobre la del dorso de forma que la solapa sobresalga 22 cm sobre el frente rematado. Doblar la solapa sobre el frente y prenderla.

4 Hacer una costura a máquina sobre los tres lados, dejando la solapa sin coser. Rematar los márgenes con un zigzag. Volver la funda hacia el derecho y planchar.

Funda de rulo con pasacintas

El rulo tiene una forma perfecta para levantar las almohadas y resulta muy práctico para leer en la cama. Esta funda en blanco y azul con flores de estilo country se abrocha sobre el rulo y lleva un vivo, optativo, que le aporta un aspecto de artesanía. Conviene utilizar un algodón fino para que los laterales con pasacintas no abulten demasiado al atarlos.

1 Para vivear las costuras, preparar 1,40 m de vivo (ver la página 155) o comprarlo ya hecho. Empezando a 4 cm de un borde (el de la banda de los ojales), cortar el vivo por la mitad y prenderlo sobre el derecho del panel central, a lo largo de los dos largos, casando los cantos y situando el vivo junto a la línea de costura. Terminar a 7 cm del otro extremo.

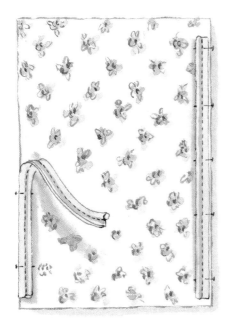

Materiales

- 72 × 48 cm de tela de algodón para el panel central
- 72 × 26 cm de tela de algodón de color contrastado para los laterales
- 1,40 m de cordón para vivo, o bien 30 × 40 cm de tela de los laterales (optativo)
- 4 botones de 2,5 cm
- Almohada de rulo de 45 cm de largo y 17 cm de diámetro
- 10 cm de tela de algodón blanco de 90 cm de ancho, o bien 1,80 m de cordón para las cintas de fruncir
- Hilo de coser coordinado

Nota: La funda sirve para una almohada de rulo de 45 cm de largo y 17 cm de diámetro.

Cortar

Nota: Se incluye un margen de costura de 1,5 cm de no indicarse otra cosa.

Cortar dos rectángulos de 72 × 13 cm de la tela contrastada para los laterales.

3 HORAS O MENOS

PROYECTO CON POCA COSTURA

2 Poniendo derecho con derecho, prender el borde largo de una pieza lateral del rulo sobre el borde largo del panel central, con el vivo entre medias. Con el prensatelas para cremalleras en la máquina, coser las piezas uniéndolas. Coser del mismo modo la otra pieza lateral al otro lado del panel central.

3 Doblar hacia el revés 1,5 cm y luego 3,5 cm por el borde de la banda con ojales, incluidas las franjas laterales, y hacer una costura por el revés, lo más cerca posible del borde del dobladillo. Poner del mismo modo la banda de los botones al otro lado, pero doblando 1,5 cm y luego 6 cm.

Situar los botones

■ Para espaciar debidamente los botones, calcular primero cuántos botones se necesitan para abrochar la pieza con seguridad.

■ Contar luego el número de intervalos entre botones. Si hay cuatro botones –como en esta funda de rulo, por ejemplo– hay tres intervalos. Añadir un espacio en cada extremo; por tanto, en este ejemplo, hay cinco espacios en total.

■ Dividir el largo total de la pieza por el número de espacios y hacer una marca en cada punto, con un lápiz blando o una tiza de sastre. Coser un botón en cada punto.

4 Para los pasacintas, doblar hacia el revés 1,5 cm y luego 2 cm el canto de cada lateral y planchar los dobleces. Abrir el pasacintas y hacer a cada lado un ojal de 12 mm, justo debajo de la banda de abrochar y paralelo a ella, para ajustarla en el ancho del pasacintas. Coser los pasacintas a pespunte, debajo de los extremos abiertos, dejando los extremos abiertos. Hacer cuatro ojales a intervalos iguales sobre la banda de abrochar, por dentro del panel central. Coser a mano los botones haciéndolos coincidir con los ojales.

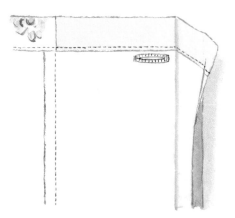

5 Cortar dos cordones de 90 cm o bien, siguiendo las indicaciones de más abajo, hacer dos cintas de 90 cm y pasarlas por los pasacintas. Envolver el rulo de almohada con la funda, abrochar los botones y tirar de los cordones o cintas, haciendo unas lazadas para cerrar la funda.

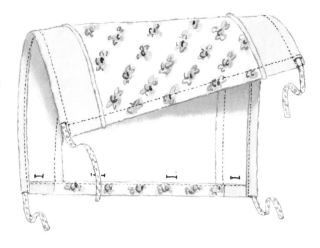

Consejo profesional: Cintas de tela

■ Para hacer una cinta de tela de 1,5 cm de ancho, cortar dos tiras de 5 cm de ancho y de 88 cm de largo.

■ Doblar las tiras por la mitad a lo largo, derecho con derecho, y poner entre medias un cordón suave de 6 mm de grosor.

■ Hacer una costura a máquina en un extremo pillando el cordón y luego coser a lo largo de la tira en doble, teniendo cuidado de no pillar el cordón en la costura.

■ Recortar el margen de costura y volver la cinta del derecho tirando del cordón por entre medias. Cortar el extremo donde está cosido el cordón. Doblar hacia dentro las puntas de la tela y dar varias puntadas para cerrarlas.

Abajo: Coser con cuidado la tira de tela con el cordón entre medias.

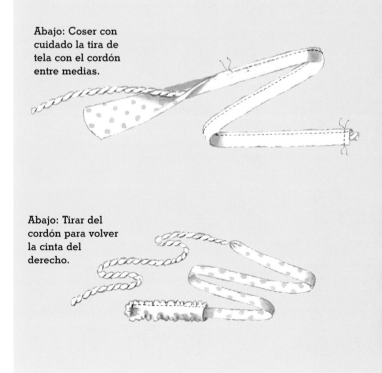

Abajo: Tirar del cordón para volver la cinta del derecho.

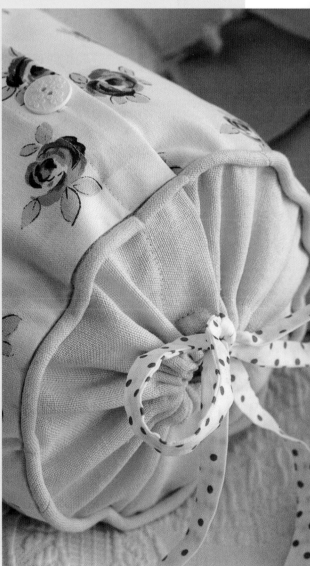

Complementar con...

Funda de rulo sin costura

Esta elegante funda de rulo no requiere ningún tipo de costura; los dobladillos se pegan con gasilla termoadhesiva y la funda se abrocha sobre el rulo con unos parches de velcro. Todo cuanto se necesita para cerrar los laterales son unas cintas.

Materiales

- 80 cm de tela de algodón de 115 cm de ancho
- 2 m de gasilla termoadhesiva de 22 mm de ancho
- 1,50 m de cinta de 10 mm de ancho
- 1,50 m de gasilla termoadhesiva de 10 mm de ancho
- 5 parches de velcro adhesivos
- Almohada de rulo de 45 cm de largo y 17 cm de diámetro
- 1,80 m de cinta de 38 mm de ancho

Nota: Se incluye un margen de costura de 1,5 cm de no indicarse otra cosa.

La funda es para una almohada de rulo de 45 cm de largo y 17 cm de diámetro.

3 HORAS O MENOS

PROYECTO SIN COSTURA

Con sus magníficas rosas y su cinta de raso, esta funda para el rulo, rápida de hacer, es perfecta para aportar elegancia a cualquier estancia de la casa.

1 Cortar un rectángulo de tela de 97 × 72 cm. Doblar hacia el revés 2 cm por todo el borde largo y plancharlo. Siguiendo las indicaciones del fabricante, pegar el dobladillo con gasilla termoadhesiva de 22 mm.

2 Cortar dos tiras de 72 cm de la cinta de 10 mm. Con gasilla termoadhesiva de 10 mm de ancho, pegar la cinta con la plancha sobre los cantos de los laterales.

3 Marcar con un alfiler el centro (45 cm) de un borde largo de la funda. Pegar cinco parches de velcro sobre el revés del borde, espaciándolos por igual a cada lado del centro y dejar varios minutos para que se peguen. Unir las otras mitades del velcro con los parches pegados. Doblar este borde con los parches sobre el lado opuesto para que las mitades de velcro se adhieran en su sitio sobre el derecho de la tela. Dejar que se seque el adhesivo durante unos minutos antes de separar los cierres de velcro.

4 Para terminar la funda, envolver con ella la almohada de rulo y cerrarla con los parches de velcro. Cortar dos tiras de cinta de 38 mm de ancho. Reunir los extremos de la funda y atarlos con la cinta formando una lazada, según se ve en la página 54, a la izquierda.

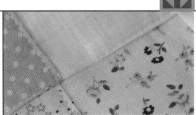

Quilt estilo country

Este quilt se confecciona cosiendo cuadritos solapados: un método mucho más fácil y rápido de hacer que el patchwork tradicional. Las telas, con un atractivo aire rústico, logran un estilo tradicional sin necesidad de eternizarse en la labor. Para mayor precisión y rapidez, es aconsejable utilizar un cúter giratorio y una base de corte para cortar varias capas de tela a la vez (ver la página 148). Al coser, medir los dobleces con la mayor exactitud posible.

Materiales

- 0,70 m de tela de algodón de 115 cm de ancho de cada uno de cuatro tejidos para el patchwork
- 1,60 m de tela de algodón de 140 cm de ancho para la trasera y el borde
- 1,60 m de guata fina de 140 cm de ancho
- 24 botones nacarados de 1 cm
- Hilo de coser coordinado

Nota: La mantita mide aproximadamente 117 × 145 cm.

Cortar

Nota: Se incluye un margen de costura de 1,5 cm de no indicarse otra cosa.

Cortar 120 cuadraditos de 74 mm de lado de cada una de las telas 1 y 3, y 108 cuadraditos de 74 mm de lado de cada una de las telas 2 y 4.

 DE 6 A 8 HORAS

 PROYECTO CON COSTURA

1 Doblar 1 cm en un lado de cada uno de los cuadros y plancharlo. Tomar 10 cuadraditos de la tela 1 y 9 de la tela 2 y colocarlos en fila, con el doblez a la derecha, alternando las telas. Situar el doblez de un cuadrado de tela 1 sobre el canto de un cuadrado de tela 2, solapándolo 1 cm. Prender y coser los cuadraditos. Solapar, prender y coser el borde doblado de un cuadrado de tela 2 sobre el canto del cuadrado siguiente de tela 1. Seguir así hasta obtener una fila de 19 cuadraditos. Hacer otra fila del mismo modo, con las telas 3 y 4. Hacer otros 11 pares de filas.

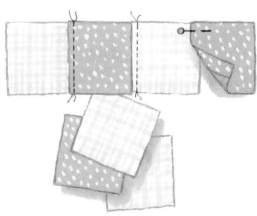

Este quilt es perfecto para abrigarse en el jardín cuando la brisa empieza a ser fresca.

2 Doblar y planchar 1 cm de un borde largo de cada una de las 24 tiras. Solapar 1 cm una tira 1 (de telas 1 y 2) sobre una tira 2 (de telas 3 y 4), casando las costuras lo más exactamente posible, y prenderlas. Hacer una costura por encima para unir las tiras. Seguir cosiendo las tiras, alternando tiras 1 y 2, hasta tener montadas las 24 tiras.

3 Medir el patchwork montado. Para los bordes de arriba y de abajo, cortar 2 tiras de 12 cm de alto y 18 cm más largas que el patchwork. Para los bordes laterales, cortar dos tiras de 12 cm de ancho y 20 cm más largas que el patchwork. En cada tira de borde, sobre un largo, medir 12 cm a partir de una esquina de cada extremo, y marcar con un alfiler (será el borde interno de la franja). Dibujar una diagonal a lápiz sobre el revés de cada tira.

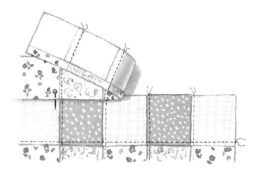

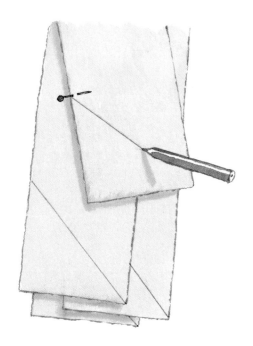

4 Prender y coser a máquina las tiras de borde uniéndolas derecho con derecho a lo largo de las diagonales dibujadas. Parar la costura a 1,5 cm del borde interno, formando un marco rectangular con esquinas a inglete. Recortar las costuras y plancharlas abiertas.

5 Poniendo derecho con derecho, prender el borde interno de la franja sobre los cantos del quilt; la parte que se dejó abierta en las costuras diagonales permite casar las esquinas. Coser la franja a máquina, volverla hacia el derecho y planchar.

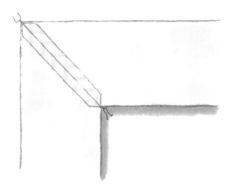

6 Extender la guata sobre una mesa grande o sobre el suelo limpio y poner la tela para la trasera encima, con el derecho hacia arriba. Poner el quilt sobre la trasera, derecho con derecho, y alisar las capas para eliminar cualquier arruga. Trabajando desde el centro hacia los bordes, prender las capas juntas y recortar el sobrante de guata y de trasera. Hacer una costura a máquina por los cuatro bordes, dejando en un lado una abertura de 40 cm. Quitar los alfileres.

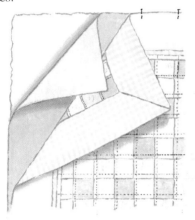

7 Volver el quilt hacia el derecho y planchar. Coser la abertura a mano haciendo un repulgo (ver la página 149).

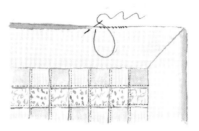

8 Trabajando desde el centro hacia los bordes, alisar las capas y sujetarlas a intervalos regulares con alfileres. Hacer un pespunte sobre todas las capas, siguiendo el borde del quilt, junto a la franja. Quitar los alfileres.

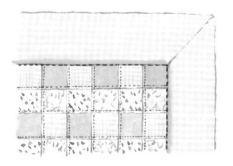

9 Coser un botón en cada esquina del quilt por dentro de la franja. Coser cinco filas de cuatro botones distribuidos sobre el quilt, en los cruces y espaciados por igual, cosiendo todas las capas.

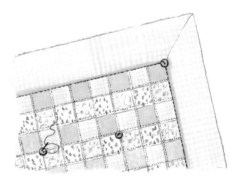

Consejo profesional: Cambiar de estilo

Este diseño de quilt ofrece enormes posibilidades de variaciones para adaptarlo a otros estilos.

■ Utilizando telas lisas, los pespuntes destacan más. Se puede sacar partido utilizando un hilo torzal o un hilo de bordar a máquina satinado.

Almohadilla de lavanda

La lavanda es una planta muy aromática cuyas propiedades calmantes y relajantes se conocen y valoran desde antiguo. Una almohadilla rellena de lavanda colocada en un armario ropero, por ejemplo, no solo perfuma delicadamente la ropa, sino que la protege de insectos. Esta almohadilla para lavanda, con sus dibujos de flores y su delicado lacito, es demasiado bonita para tenerla escondida, por lo que se combina con otros cojines sobre la cama y se deja que su delicioso aroma induzca el sueño. Un panel de tela semi-transparente –un organdí de algodón o de seda, una gasa o una muselina estampada– deja adivinar las flores secas del interior.

Materiales

- 25 × 50 cm de tela de algodón
- 20 × 10 cm de organdí de algodón para el panel central
- 90 cm de cinta de 10 mm de ancho
- 1 m de cordón para vivo de 3 mm y una pieza de tela de 23 × 28 cm para el vivo o bien 1 m de vivo ya confeccionado
- 200 g de flores secas de lavanda
- Hilo de coser coordinado

Nota: La almohadilla es cuadrada y mide 20 cm de lado.

Cortar

Nota: Se incluye un margen de costura de 1,5 cm de no indicarse otra cosa.

De la tela de algodón, cortar un cuadrado de 23 cm de lado para la trasera, dos rectángulos de 9,5 × 23 cm para los paneles frontales y dos tiras de 4,5 × 10 cm para bordear el panel central.

Cortar unas tiras al bies de 4 cm de ancho para confeccionar el vivo, hasta tener una longitud de 1 m (ver la página 155).

 3 HORAS O MENOS

 PROYECTO CON COSTURA

Los suaves tonos azules y malvas combinan muy bien con las flores de lavanda secas.

1 Poniendo las telas derecho con derecho, prender el borde largo de un rectángulo de borde con un borde corto del centro de organdí y coserlos a máquina. Recortar la costura y planchar hacia el rectángulo de borde. Coser del mismo modo el otro rectángulo de borde al otro lado corto del panel central.

2 Prender, revés con revés, el borde largo de un panel lateral del frente con el panel central y hacer la costura a máquina. Recortar la costura y planchar hacia el lateral. Coser el otro panel lateral al otro lado del panel central. Cortar dos tiras de cinta del largo de la costura. Prender una cinta sobre las costuras laterales y coserlas junto a sus dos bordes.

3 Prender el vivo por todo el borde del derecho del frente, dando unos cortes en los cantos de la tela para volver las esquinas y unir los extremos (ver la página 155). Hilvanarlo en su sitio. Poniendo derecho con derecho, prender el frente y la trasera de la almohadilla y hacer a máquina una costura por los bordes, dejando a un lado una abertura de 7 cm.

4 Recortar la costura, volver la almohadilla del derecho y planchar. Hacer un lacito con el resto de la cinta y coserlo a mano sobre una tira de cinta. Rellenar la almohadilla con la lavanda seca y coser la abertura a repulgo.

Funda de almohada abotonada

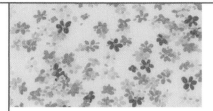

Cuando se confecciona una funda de almohada no es necesario utilizar unas telas de ancho extra que se usan normalmente para juegos de cama; se puede elegir entre una amplia gama de telas de algodón y hacer almohadas a juego con la funda del edredón e incluso con las cortinas. Esta funda de almohada estándar está hecha con una tela de algodón estampada con ramitos de flores menudos. El borde es una franja de tela lisa que complementa el motivo floral y se cierra con tres botones forrados de la misma tela.

Materiales

- 0,60 m de tela de algodón estampada de 150 cm de ancho para la funda
- 0,30 m de tela lisa de algodón de 115 cm de ancho para la franja con botones
- 3 botones para forrar de 2,5 cm para la franja
- Hilo de coser coordinado

Nota: La funda es para una almohada estándar de 75 × 50 cm.

Cortar

Nota: Se incluye un margen de costura de 1,5 cm de no indicarse otra cosa.

Cortar dos rectángulos de 74 × 53 cm de la tela para la funda, para el frente y la trasera, y dos rectángulos de 23 × 53 cm de la tela para la franja.

⏱ 3 HORAS O MENOS

✂ PROYECTO CON POCA COSTURA

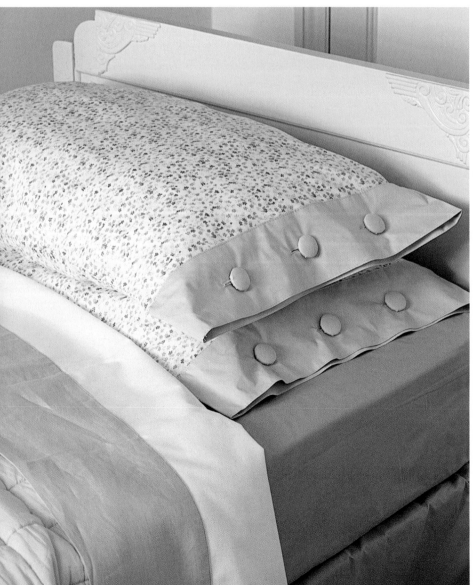

Los dibujos menudos de flores en algodón fuerte son perfectos para animar un juego de cama liso.

1 Poniendo derecho con derecho, prender un borde largo de una pieza lisa sobre un borde corto de una pieza principal y coserlo a máquina. Planchar la costura hacia el borde. Unir la segunda pieza principal con la otra pieza lisa del mismo modo.

2 Prender derecho con derecho el frente y la trasera, alineando las costuras de la franja. Hacer una costura por tres bordes, dejando abierto el de la franja. Planchar abiertas las costuras del borde y los 5 cm contiguos de las piezas principales. Rematar los márgenes de costura con un zigzag a máquina.

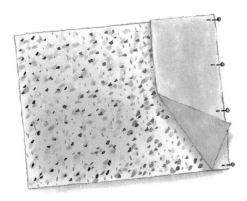

3 Doblar y planchar el margen de costura del borde y recortar el margen de costura a 1 cm. Doblar la franja por el centro de modo que el borde doblado coincida con la costura por el revés de la funda y coserlo a dobladillo. Hacer un pespunte por el derecho junto al borde interno de la franja. Planchar bien.

4 Hacer tres ojales a 5 cm del borde exterior y a intervalos iguales sobre el frente de la franja (ver las páginas 151-152). Forrar los botones de tela (ver la página 153) y coserlos a mano por dentro de la franja trasera, haciéndolos coincidir con los ojales.

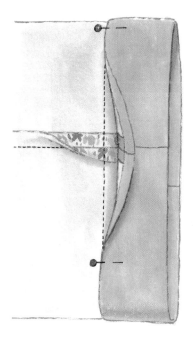

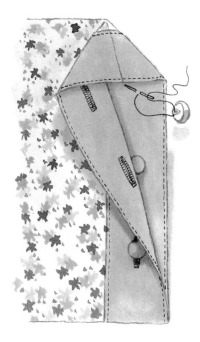

Funda de almohada con encaje

En esta funda se invierten las telas y la franja del borde es de flores mientras el resto de la almohada es de tela lisa. Aquí se omiten los botones y se cose una puntilla de encaje sobre la costura: un acabado profesional que parece un bordado a mano. Para completar la funda, se remata el embozo de una sábana lisa con una franja de la misma tela estampada.

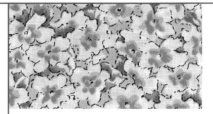

Materiales

- 1,10 m de tela lisa de algodón de 115 cm de ancho para la pieza principal
- 0,30 m de tela de algodón estampada para la franja de borde
- 54 cm de puntilla de encaje
- Hilo de algodón coordinado

Nota: La funda es para una almohada estándar de 75 × 50 cm.

Cortar

Nota: Se incluye un margen de costura de 1,5 cm de no indicarse otra cosa.

De la tela principal, cortar un rectángulo de 68 × 53 cm para el frente y otro de 99 × 53 cm para la trasera. De la tela estampada, cortar un rectángulo de 23 × 53 cm.

 3 HORAS O MENOS

 PROYECTO CON POCA COSTURA

La tela utilizada para la franja realza el color vivo del edredón.

1 Doblar a lo largo por el centro el rectángulo de la franja, revés con revés, y planchar el doblez. Hacer un zigzag a máquina sobre los cantos. Hacer un zigzag sobre el canto de un lado corto de la pieza frontal, doblar el margen de costura hacia el revés y planchar.

2 Prender la puntilla sobre el centro de la línea de costura del frente de la franja e hilvanarla a mano. Prender el borde doblado del frente de la funda sobre la puntilla, de modo que el doblez case con la línea de costura por el centro de la puntilla. Coser a máquina.

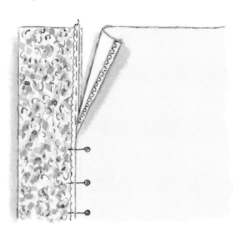

3 Doblar hacia el revés 1 cm y luego 1,5 cm un borde corto de la trasera de la funda para hacer el borde de la solapa y coserlo a máquina. Poniendo derecho con derecho, prender la trasera con el frente, casando los cantos del lado corto, de modo que la solapa sobresalga por el borde de la franja.

4 Doblar la solapa hacia el revés del frente y prenderla. Hacer una costura por los tres bordes, dejando abierta la solapa del lado de la franja. Rematar los márgenes de costura con un zigzag. Volver la funda del derecho y plancharla.

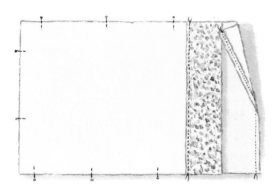

Juego de cama infantil

Los motivos de flores en tonos pastel son un adorno precioso para una funda de edredón infantil. Los motivos se aplican con gasilla termoadhesiva, lo que permite recortar las flores sin que se deshile la tela.

Materiales

- 5,20 m de tela de algodón de 140 cm de ancho
- Gasilla termoadhesiva para pegar
- 7 botones de 2 cm
- Hilo de coser coordinado

Para las flores:

- 24 × 18 cm de tela de algodón rosa
- 29 × 16 cm de tela de algodón color melocotón
- 24 × 13 cm de tela de algodón amarilla

Nota: La funda es para un edredón infantil estándar de 135 × 200 cm.

 DE 6 A 8 HORAS

PROYECTO CON COSTURA

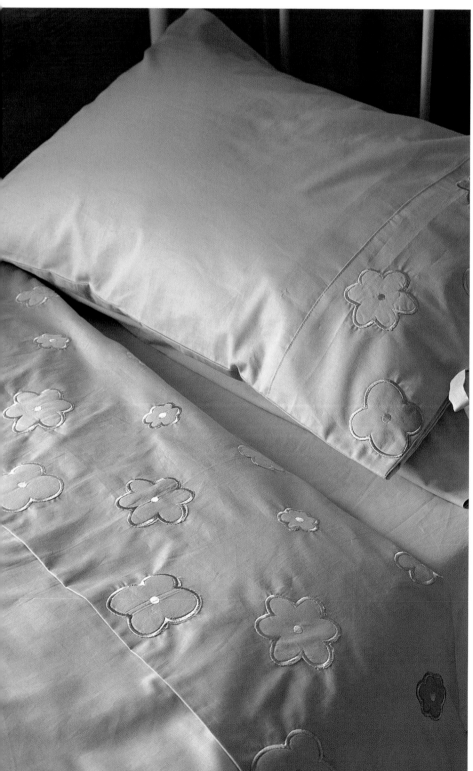

Las flores recortadas como margaritas son el adorno preferido de las niñas. Para los niños, se pueden utilizar motivos de peces o de animales.

1 Colocar los motivos de flores sobre el derecho de una de las piezas del embozo, alternando colores y espaciándolos por igual, situándolos en filas por tamaños y tipo, y evitando las costuras. Retirar el dorso de la gasilla termoadhesiva de cada flor, poner encima de las aplicaciones un paño húmedo y plancharlas para pegarlas siguiendo las indicaciones del fabricante. Con el hilo coordinado, hacer un zigzag bordeando las flores y bordar un centro de puntadas largas en cada flor.

2 Doblar una de las tiras por la mitad a lo largo y coserla por un extremo y bajar por el lado largo. Recortar el margen de costura y volver la cinta del derecho. Situar la costura a un lado y planchar la tira. Hacer otras tres cintas iguales.

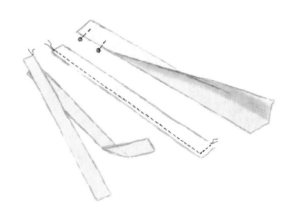

Cortar

Nota: Se incluye un margen de costura de 1,5 cm de no indicarse otra cosa.

De la tela principal, cortar dos rectángulos de 139 × 205 cm para el dorso y el frente, una tira de 139 × 26 cm para la solapa interna, dos rectángulos de 33 × 139 cm para el embozo y cuatro tiras de 38 × 7 cm para las cintas de los lados.

Planchar la gasilla termoadhesiva de unión sobre el revés de las telas para las flores. Agrandar los motivos de la derecha un 200% y dibujarlos en un cartón. Con un lápiz de modista, dibujar el contorno de las plantillas sobre el revés de las telas y recortar:

Para la funda del edredón: flores pequeñas de cuatro pétalos: 3 rosas, 3 amarillas;

Flores pequeñas de seis pétalos: 3 rosas, 3 color melocotón

Flores grandes de cuatro pétalos: 3 color melocotón, 3 amarillas;

Flores grandes de seis pétalos: 3 rosas, 3 color melocotón.

Para la funda de almohada:

Flores grandes de cuatro pétalos: 2 color melocotón, 1 amarilla

Flores grandes de seis pétalos: 1 rosa, 1 color melocotón.

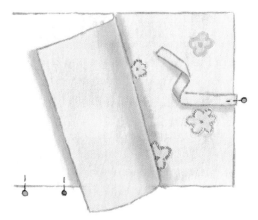

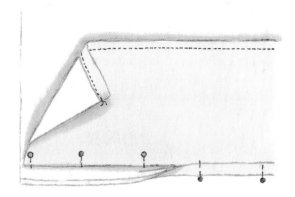

3 Prender una cinta en el centro de un lado corto sobre el derecho del embozo con las flores cosidas, casando los cantos. Prender las dos piezas del embozo, derecho con derecho, y coser a máquina por los dos laterales y por un borde largo. Recortar la costura, volver el embozo del derecho y plancharlo. Hilvanar los cantos uno con otro.

4 Doblar hacia el revés 1 cm y luego 2 cm a lo largo de un borde largo de la solapa interna y coserlo a máquina. Poniendo revés con revés, prender la solapa al borde inferior de la trasera de la funda de edredón, de manera que el canto largo quede a 5 cm por arriba del borde inferior. Doblar sobre el revés 1 cm y luego 2,5 cm del borde inferior de la trasera de la funda de edredón de manera que el doblez monte 1 cm sobre el canto de la solapa y hacer una costura a máquina junto al dobladillo para formar la franja de botonadura. Doblar por el borde inferior del frente 1 cm y luego 2,5 cm y hacer una costura a máquina para hacer la franja de los ojales.

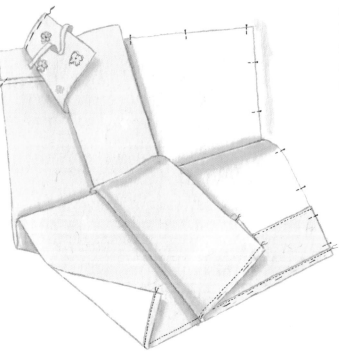

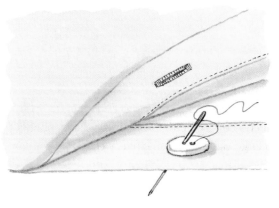

5 Hacer siete ojales a intervalos iguales en la franja (ver las páginas 151-152). Prender una cinta a cada lado sobre el derecho del frente, a 16,5 cm del borde superior, casando los cantos. Poniendo derecho con derecho y con el lado de las flores hacia abajo, prender el embozo sobre el borde superior del frente, casando los cantos y alineando los bordes laterales rematados del embozo con la costura lateral. Poniendo derecho con derecho, coser a máquina el frente y la trasera por los bordes largos y por el borde superior, cosiendo las cuatro capas.

6 Rematar los márgenes de costura con un zigzag, volver la funda hacia el derecho y planchar. Coser los botones en la franja de botonadura, haciéndolos coincidir con los ojales. Atar las cintas en lazadas por los bordes laterales para sujetar el embozo.

Almohada a juego

Para adornar la funda de almohada se utilizan los mismos motivos de flores, con unas cintas de sujeción atadas en lazos. Si se borda a máquina por primera vez, esta funda es un buen comienzo.

1 Coser las flores sobre el derecho de la franja igual que para la funda del edredón y hacer cuatro cintas (ver la página 67, pasos 1 y 2). Prender dos cintas sobre el revés de un borde corto del frente de la funda y prender el lado derecho de la franja sobre el revés de ese mismo borde frontal de la funda. Coser, volver el borde hacia el derecho y planchar. Doblar hacia el revés 1 cm a lo largo del canto del borde largo de la franja y coserlo sobre el frente de la funda.

2 Doblar 1 cm y luego 1,5 cm por un borde largo de la solapa interna y coserlo. Prender dos cintas sobre el derecho de un borde corto de la trasera. Poniendo derecho con derecho, prender la solapa sobre la trasera a lo largo del borde con cintas y coserlo. Prender el frente y la trasera de la funda derecho con derecho y doblar el lado derecho de la solapa sobre el revés del frente de la funda. Coser la funda por los tres lados. Rematar los márgenes de costura con un zigzag.

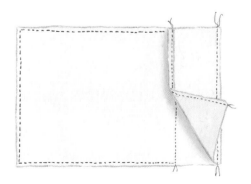

Materiales

- 1,10 m de tela de algodón de 140 cm de ancho
- Gasilla termoadhesiva para pegar
- Hilo de coser coordinado

Para las flores:

- Un cuadrado de 8 cm de tela de algodón rosa
- 1 cuadrado de 8 cm de tela de algodón amarilla
- 24 × 8 cm de tela de algodón color melocotón

Nota: La funda es para una almohada estándar de 75 × 50 cm.

Cortar

Nota: Se incluye un margen de costura de 1,5 cm de no indicarse otra cosa.

De la tela principal, cortar dos rectángulos de 73 × 53 cm para el frente y la trasera, un rectángulo de 19 × 53 cm para la franja frontal, un rectángulo de 25,5 × 53 cm para la solapa interna y cuatro tiras de 38 × 7 cm para las cintas.

⏱ **3 HORAS O MENOS**

✄ **PROYECTO CON POCA COSTURA**

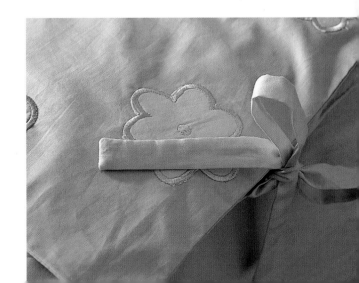

Capítulo 3

ROPA DE MESA

Es fácil animar la mesa de la cocina, del comedor o del jardín con esta colección de manteles y accesorios de mesa, además de tapetes decorativos para diario y para ocasiones especiales.

Mantelito acolchado

Los mantelitos individuales son un elemento importante de una mesa bien puesta. Este fantástico modelo, con un ligero acolchado, rematado con cuentas llenas de brillos y con cintas de raso, es de gran lujo. Para una cena informal, cada mantelito puede ser distinto; para grandes ocasiones, se confeccionan mantelitos iguales.

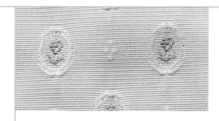

Materiales

- 44 × 34 cm de tela para el frente del mantelito
- 44 × 34 cm de tela para la trasera del mantelito
- 44 × 34 cm de entretela o guata fina
- 68 cm de cinta de 6 mm de ancho para cada uno de los dos colores
- 66 cm de galón con cuentas
- Hilo coordinado de poliéster/algodón

Nota: Se incluye un margen de costura de 1,5 cm de no indicarse otra cosa.

El mantelito mide 41 × 31 cm.

3 HORAS O MENOS

PROYECTO CON POCA COSTURA

Elegir las cuentas del galón a tono con el color de la tela para lograr un efecto más elegante.

1 Cortar por la mitad cada cinta. Prender una del primer color sobre cada lado corto del frente de mantel, a 4 cm del borde. Prender otra del otro color a 6 mm de la anterior. Coserlas a máquina por sus dos bordes.

2 Planchar el margen de costura lateral hacia el revés, tanto en el frente del mantel como en la trasera. Cortar 2 cm de cada lateral de la entretela o guata. Colocar el frente del mantel con el derecho hacia abajo sobre una superficie lisa, centrar encima la entretela o guata y doblar sobre ella los márgenes de costura. Hilvanar a mano para sujetarlo.

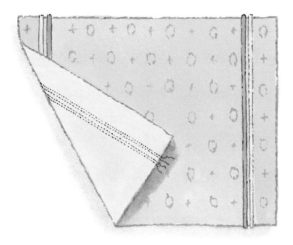

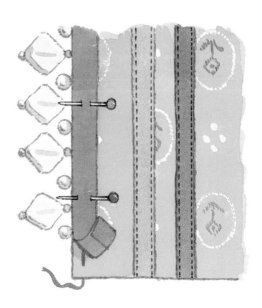

3 Poniendo derecho con derecho, prender el frente del mantel sobre la trasera y hacer una costura a máquina por los dos bordes largos. Recortar los márgenes de costura a 6 mm. Volver el mantel del derecho y planchar.

4 Prender los laterales e hilvanarlos. Cortar el galón de cuentas a la medida de los laterales y prenderlo sobre los laterales del frente, remetiendo hacia dentro los extremos. Coserlo atravesando todas las capas. Quitar el hilván.

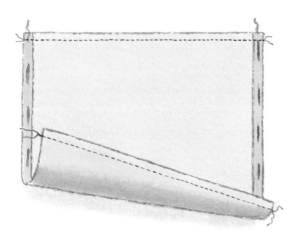

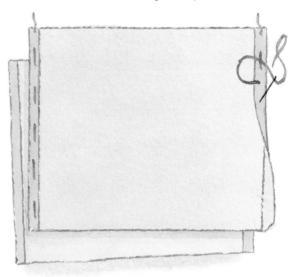

Mantelito ovalado

Este mantel individual clásico adquiere un estilo contemporáneo con los tonos turquesa y rosa fuerte. Una entretela blanda aporta volumen al mantelito y protege la mesa del calor y de arañazos.

Materiales

- Papel para patrón y lápiz
- Rectángulos de 41 × 31 cm de la tela del frente, de la trasera y de entretela o guata
- 30 × 23 cm de tela de la trasera para ribetear
- Hilo coordinado de poliéster/algodón

Nota: El mantelito mide 41 × 31 cm.

Cortar

Nota: Se incluye un margen de costura de 1,5 cm de no indicarse otra cosa.

Dibujar sobre un papel un rectángulo de 41 × 31 cm y doblarlo por la mitad a lo ancho. Abrirlo y, con el doblez en el centro, poner un plato pequeño a cada lado del doblez y dibujar una curva igual en cada una de las dos esquinas. Recortar. Con este patrón, cortar el frente del mantelito, la entretela y la trasera.

🕐 3 HORAS O MENOS

✂ PROYECTO CON POCA COSTURA

Izquierda: los mantelitos ovalados quedan muy bien en el centro de la mesa para las fuentes calientes.

1 Poner la tela de la trasera con el derecho hacia abajo sobre una superficie lisa, colocar encima la entretela y luego la tela del frente con el derecho hacia arriba. Alisar las telas y casar bien los cantos de las tres capas. Hilvanar a mano por el borde.

2 Cortar unas tiras al bies de 5 cm de ancho de la tela de la trasera y unirlas (ver la página 154) para tener una tira de 140 cm. Planchar las costuras abiertas.

3 Doblar hacia el revés 1,2 cm de un borde largo del bies. Poner el derecho del bies sobre el revés del mantelito, prender el canto del bies todo alrededor del mantelito. Recortar el sobrante de la tira y unir los extremos (ver la página 155). Coserlo a máquina.

4 Doblar el bies hacia el frente del mantelito y remeter 1,2 cm por todo el borde, para que quede sobre la línea de costura. Prenderlo e hilvanarlo. Coser el bies con un pespunte sobre el derecho, junto al borde doblado, y planchar. Quitar el hilván.

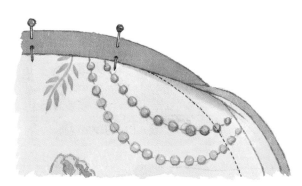

Consejo profesional: Perfilador de bies

Existe un sencillo aparato para doblar el bies rápida y fácilmente. Hay que seguir las indicaciones del fabricante para conocer el ancho adecuado de la tira; hay aparatos para plegar un bies desde 6 mm hasta 25 mm de ancho. Para un bies perfilado de 12 mm de ancho, se corta una tira de 25 mm de ancho.

■ Cortar una tira diagonal de tela, pasarla por el lado ancho del plegador y planchar el extremo doblado (perfilado) que va saliendo por el otro lado.

Mantel de lino con fleco

Este original mantel aprovecha el tejido regular del lino para sacar hilos en los cantos de la tela y formar un fleco muy bonito. Un galón evita que se siga deshilando el canto y unos parches también con el borde deshilado, cosidos en los bordes del mantel, repiten el tema del fleco. Los manteles de lino se tienen que lavar a menudo, por lo que es conveniente mojar la tela antes de trabajarla. Planchar siempre un poco húmedo, alisando el fleco.

Materiales

- 2,10 m de lino de 150 cm de ancho
- 15 cm de lino de 150 cm de ancho cada uno de dos colores que hagan contraste
- 7 m de galón de 12 mm de ancho
- Hilo de coser coordinado

Nota: El mantel mide 204 × 147 cm.

Cortar

Utilizando todo el ancho de la tela, cortar al hilo de la tela una pieza de 204 cm, siguiendo un hilo en cada sentido para que queden los bordes rectos. Cortar el orillo de los dos lados, siguiendo el hilo de la tela. Cortar 10 cuadrados de 14 cm de lado de cada una de las telas de color contrastado, siguiendo el hilo de la tela.

3 HORAS O MENOS

PROYECTO CON POCA COSTURA

La textura marcada del lino, que destaca sobre todo en los colores claros, es perfecta para cenas informales de verano.

1 Con una aguja para separar los hilos, sacar los hilos de la trama y de la urdimbre de uno en uno para formar flecos de 2,5 cm de ancho en los lados del mantel.

2 Prender el galón por el revés del mantel junto a los flecos, ingleteando las esquinas (ver la página 83). Solapar los extremos del galón y coserlo a máquina.

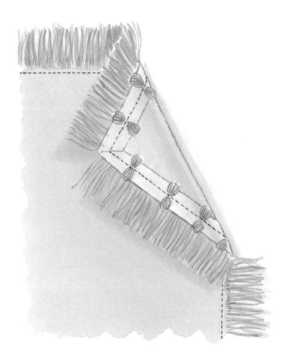

3 Deshilar los cantos de cada cuadrado de lino de 14 cm para tener un fleco de 1,5 cm. Alternando los colores, repartirlos y coserlos por el borde del mantel de modo que haya cinco parches en los lados cortos y siete en los largos. Situarlos variando su inclinación y prenderlos.

4 Coser a máquina los cuadrados por los bordes, junto al fleco. Levantar un poco los flecos alrededor de los parches para que resalten sobre el mantel.

Servilleta a juego

La servilleta se adorna en una esquina con un cuadrado bordeado de flecos, a juego con los parches mayores del mantel. Una cinta de raso fina remata los bordes y evita que se sigan deshilando.

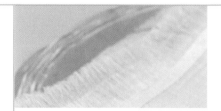

Materiales

- Un cuadrado de lino de 56 cm de lado
- Un cuadrado de lino de color contrastado, de 9 cm de lado
- 2,25 m de cinta de 8 mm de ancho
- Hilo de coser coordinado

Nota: Cada servilleta es un cuadrado de 56 cm de lado.

 3 HORAS O MENOS

 PROYECTO CON POCA COSTURA

Estas servilletas, dobladas con sencillez, completan una mesa bien vestida.

1 Deshilar los cantos de la servilleta hasta tener un fleco de 2 cm por los cuatro bordes.

2 Prender la cinta por los bordes de la servilleta, junto al fleco, ingleteando las esquinas (ver la página 83).

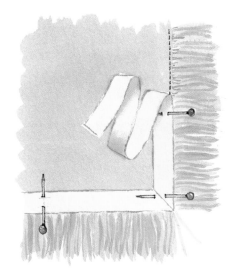

3 Coser la cinta con hilo a juego, haciendo una costura en sus dos bordes.

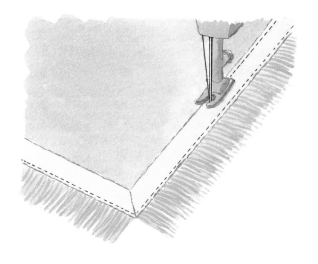

4 Deshilar los bordes del cuadrado de tela de otro color hasta tener un fleco de 1,5 cm. Prender el cuadrado en diagonal por dentro de una esquina de la servilleta. Coserlo con un pespunte alrededor, por dentro del fleco.

Camino de mesa con galón de cuentas

Un tapete colocado a lo largo del centro de la mesa es un accesorio elegante. Se puede poner sobre él un jarrón de flores, unos candelabros y unas fuentes de servicio, dejando que cuelguen sobre los bordes de la mesa los extremos del tapete. Para que pesen los bordes y tengan buena caída, se cose un galón con cuentas. Este tapete está cortado a lo ancho de la tela, pero si ésta tiene un dibujo vertical, se corta en el otro sentido y se unen las piezas necesarias.

Materiales

- 60 cm de tela de tapicería de 140 cm de ancho (más el alto de un motivo si fuera necesario)
- 60 cm de tela de forro de 140 cm de ancho
- 5,80 m de cinta de raso de 12 mm de ancho
- 76 cm de galón con cuentas
- Hilo de coser coordinado

Nota: El camino de mesa mide 27 × 270 cm. Adaptar las dimensiones a la medida de la mesa.

Cortar

Nota: Se incluye un margen de costura de 1,5 cm de no indicarse otra cosa.

De la tela principal, cortar dos tiras de 30 cm de ancho a lo ancho de la tela, cortando la segunda tira de modo que el dibujo quede alineado con el de la primera. Cortar dos tiras de igual tamaño para el forro.

LARGO DEL TAPETE
Ajustar el largo de las tiras a la medida de la mesa. Cortar dos tiras iguales para el forro.

3 HORAS O MENOS

PROYECTO CON POCA COSTURA

Los colores ricos y las telas nobles convierten a este camino de mesa en un expositor perfecto para un centro de mesa.

1 Doblar las tiras de la tela de tapicería por la mitad a lo largo. Marcar un punto a unos 10 cm de la esquina y dibujar la diagonal hasta el extremo del doblez. Cortar por la raya para formar un pico no muy marcado. Cortar igual un extremo de la otra tira de tela principal y uno de cada tira del forro.

2 Poner derecho con derecho los extremos rectos de las dos tiras de tela principal y hacer una costura a máquina. Planchar la costura abierta. Unir de igual modo las dos tiras de forro.

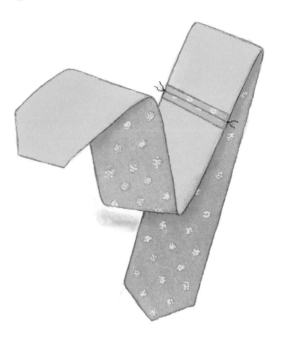

3 Prender el galón con cuentas sobre el derecho de los extremos en pico, con las cuentas mirando hacia dentro, justo por dentro de la línea de costura. Hilvanarlo. Prender el forro, derecho con derecho, sobre la tela de tapicería, alineando los bordes. Coser a máquina todos los bordes, dejando una abertura de 20 cm a un lado.

4 Recortar los márgenes de costura, volver el tapete del derecho y planchar los bordes. Coser la abertura a repulgo. Prender la cinta sobre el derecho de la tela principal por todos los lados, a 6 mm del borde, doblando la cinta para cuadrar las esquinas. Coser la cinta por sus dos bordes.

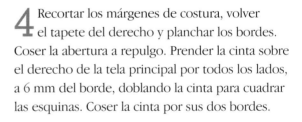

Complementar con...

Camino de mesa con pompones

Un pompón en cada esquina es un buen remate para este tapete, adornado con una cinta de raso que realza los colores crema de la tela. Para una mesa de verano, una tela de flores en tonos pastel refleja el ambiente de la estación.

Materiales

- 60 cm de tela de tapicería de 140 cm de ancho
- 60 cm de tela para el forro de 140 cm de ancho
- 6 m de cinta de raso de 2,5 cm de ancho
- 4 pompones
- Hilo de poliéster/algodón coordinado

Nota: El camino de mesa mide 27 × 270 cm.

Cortar

Nota: Se incluye un margen de costura de 1,5 cm de no indicarse otra cosa.

De la tela principal, cortar dos tiras de 30 cm de alto y del ancho de la tela, cortando la segunda tira de modo que case con el dibujo de la primera. Adaptar ahora el largo de las tiras a la medida de la mesa; para colgar por fuera de la mesa se suelen dejar 15 cm. Cortar dos tiras del mismo tamaño de la tela para forro.

3 HORAS O MENOS

PROYECTO CON POCA COSTURA

El peso de los pompones hace que los bordes del tapete cuelguen con elegancia por fuera de la mesa. Unas borlas o unas cuentas cumplen la misma función.

1 Poner las tiras de tela de tapicería derecho con derecho, casándolas por un lado corto y coserlas a máquina. Planchar la costura abierta. Unir de igual modo las dos tiras de forro. Prender un pompón en cada esquina de la tela principal, con los pompones hacia dentro, e hilvanarlos en su sitio. Prender el forro encima de la tela principal, derecho con derecho, alineando los cantos y coser por todos los bordes, dejando una abertura de 20 cm en el centro de un lado.

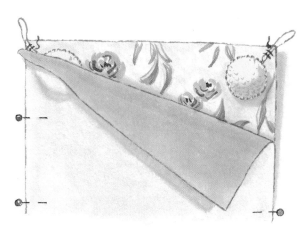

2 Recortar los márgenes de costura y volver el tapete del derecho. Planchar los bordes y coser a repulgo la abertura. Prender la cinta sobre el derecho del tapete, a 1 cm de los bordes, ingleteando las esquinas (ver más abajo). Coser por los dos bordes de la cinta.

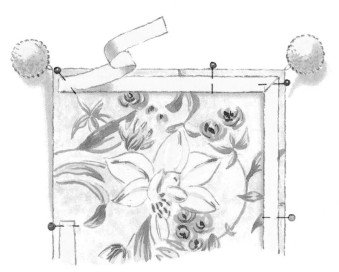

Consejo profesional: Aplicar un galón

Cuando se aplica un galón o una cinta, hay que tener cuidado al colocarlo.

■ Trabajar sobre una tabla de planchar mullida.

■ Empezar por situar la cinta o galón en el centro de un lado largo de la pieza. Seguir por ese lado, sujetando la cinta o galón con alfileres prendidos en vertical sobre el mullido. Al llegar a una esquina, doblar la cinta o galón hacia atrás y planchar el doblez. Poner un alfiler en la esquina exterior y volver la cinta o galón de modo que quede un ángulo de 90° para seguir por el lado contiguo, formando una esquina ingleteada. Planchar.

■ Quitar ahora los alfileres verticales y prenderlo horizontalmente en las capas de tela. Seguir por los lados uno tras otro, como antes. Al llegar al punto de partida, remeter y recortar el extremo de la cinta o galón y prenderlo sobre el comienzo. Hilvanar y coser la cinta.

Mantel de mariposas

Las mariposas revoloteando por entre las flores del jardín es uno de los más encantadores espectáculos del verano. Aquí los motivos de mariposas bordados sobre los dibujos de flores del mantel quedan perfectos para una cena al aire libre. Comprar muchos motivos ya confeccionados puede resultar caro, por lo que se colocan en las esquinas del mantel, situando una o dos mariposas más lejos de las esquinas.

Materiales

- 1,60 m de tela de algodón de flores de 140 cm de ancho
- 1,60 m de tela de algodón lisa de 140 cm de ancho para el borde
- 4,80 m de cinta de 15 mm de ancho
- Varias mariposas bordadas
- Hilo de coser coordinado

Nota: El mantel mide unos 157 × 134 cm.

Cortar

Nota: Se incluye un margen de costura de 1,5 cm de no indicarse otra cosa.

De la tela de flores, cortar un rectángulo de 160 × 137 cm para el centro del mantel. De la tela para el borde, cortar dos tiras de 137 × 16 cm para los bordes superior e inferior, y dos tiras de 160 × 16 cm para los laterales.

3 HORAS O MENOS

PROYECTO CON POCA COSTURA

Adornando un mantel con motivos aplicados se logra un efecto personal y lleno de encanto.

1 En cada una de las tiras de borde, marcar con un alfiler un punto a 16 cm de cada esquina en un borde largo (será el borde interno de la banda). Por el revés de la tela, dibujar una diagonal desde la esquina contraria al punto marcado con el alfiler.

2 Poniendo las tiras derecho con derecho, prender por un lado corto una tira lateral con la tira superior y hacer una costura a máquina sobre la línea dibujada. Cortar la costura y plancharla abierta. Unir del mismo modo el borde inferior con el otro extremo de la tira de borde y luego unir la otra tira lateral entre las tiras de arriba y de abajo para formar un marco rectangular con las esquinas ingleteadas.

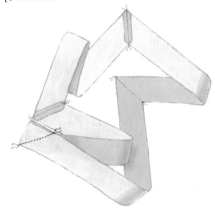

3 Prender el derecho del borde con el revés de la tela del centro del mantel, cansando los cantos. Hacer una costura a máquina por los cuatro lados. Recortar el margen de costura y doblar luego el borde hacia el derecho del mantel y planchar. Planchar e hilvanarlo a mano en su sitio a lo largo del canto.

4 Prender la cinta sobre el canto del borde, todo alrededor del mantel, ingleteando las esquinas (ver la página 83), y coserla por sus dos bordes. Prender los motivos en su sitio sobre el mantel, agrupándolos en las esquinas, entre las flores de la tela, y luego coserlos.

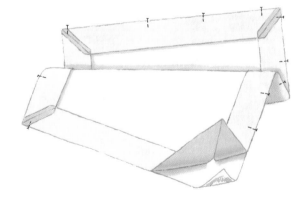

Complementar con...

Servilletero de mariposa

Unas mariposas iguales a las cosidas en el mantel pueden servir para adornar unos servilleteros. Se dejan las alas sobresaliendo de la tela y así parece que las mariposas acaban de detener su vuelo en el servilletero. Una tira de galón bordado, con motivos de rosas y hojas, enriquece el adorno y complementa el tema floral del mantel.

Materiales

- Un rectángulo de 24 × 16 cm de la tela utilizada para el borde del mantel
- 24 cm de galón de 27 mm de ancho
- Un parche de velcro adhesivo
- Un motivo de mariposa bordado
- Hilo de coser coordinado

Nota: El servilletero mide unos 21 × 5 cm abierto, y cerrado forma un aro de 5 cm de diámetro.

Cortar

Nota: Se incluye un margen de costura de 1,5 cm de no indicarse otra cosa.

Doblar la tela por la mitad a lo largo y cortarla por el doblez.

🕐 **3 HORAS O MENOS**

✂ **PROYECTO CON POCA COSTURA**

Estas preciosas mariposas encantarán a los invitados a una fiesta estival en el jardín.

1 Prender el galón a lo largo del centro del derecho de una de las tiras de tela y coserlo por sus dos bordes. Poner las tiras una sobre otra, derecho con derecho, y coserlas por sus cuatro lados, dejando en un borde largo una abertura de unos 7 cm. Recortar el margen de costura y las esquinas y volver el servilletero del derecho. Coser la abertura a repulgo y planchar.

2 Prender el cuerpo de la mariposa a 2,5 cm de un extremo de la banda. Coserlo con un pespunte por cada lado del cuerpo, dejando las alas sueltas. Enrollar la banda formando un aro y pegar la mitad del parche de velcro sobre el revés, debajo de la mariposa y la otra mitad sobre el derecho en el otro extremo de la banda para sujetarla cerrada. Dejar que se seque bien el adhesivo antes de abrir el parche de velcro.

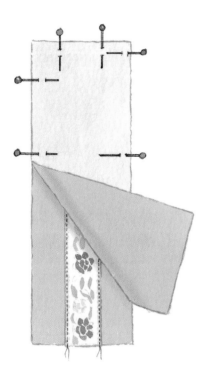

Consejo profesional: Confeccionar los motivos

Se puede adaptar la idea de esta labor para utilizar motivos recortados de la tela.
■ Recortar primero el motivo, dejando un pequeño margen alrededor. Pegarle una entretela fina termoadhesiva por el revés y recortar ahora el motivo sin margen. Prenderlo e hilvanarlo sobre la tela de fondo y coserlo, utilizando un zigzag apretado o un punto de ojal.
■ Para aplicar un motivo suelto, como el de este servilletero, pegar el motivo recortado con margen sobre una tela de fondo lisa, con gasilla termoadhesiva. Coserlo luego por el borde con un zigzag y recortarlo junto a la costura o bien cortarlo primero y rematar los bordes con un punto de ojal.

Capítulo 4

COJINES Y FUNDAS PARA SILLAS

Las fundas decorativas para cojines y para sillas son la forma más rápida y sencilla de dar nueva vida a sillas y sillones. En este capítulo se encuentran ideas para todos los gustos y estilos.

Cojín con borlas y panel central de seda

Una banda de seda de color liso, bordeada con cinta, forma el panel central de este cojín, en un magnífico contraste con la tela de flores de lis de los lados. El panel central es pequeño, por lo que es un lugar privilegiado para exhibir una pieza de seda exquisita o un bordado de tapicería.

Materiales

- 0,40 m de tela de tapicería de 136 cm
- 14 × 33 cm de seda o de otro tejido de tapicería para el panel central
- 0,70 m de cinta o galón de 2,5 cm de ancho
- Cremallera de 25 cm
- 4 borlas
- Relleno de cojín de 30 × 40 cm
- Hilo de poliéster/algodón coordinado

Nota: El cojín mide 30 × 40 cm.

Cortar

Nota: Se incluye un margen de costura de 1,5 cm de no indicarse otra cosa.

Cortar dos rectángulos de 33 × 17,5 cm de la tela de tapicería para el frente y otros dos de 43 × 18 cm de tejido de tapicería para la trasera del cojín.

3 HORAS O MENOS

PROYECTO CON POCA COSTURA

Las borlas son el complemento perfecto para los tejidos suntuosos, de estilo clásico.

1 Prender los dos rectángulos del dorso del cojín, derecho con derecho, casándolos por un borde largo, y hacer una marca con alfileres a 9 cm de cada extremo. Hacer una costura a máquina desde cada extremo hasta los alfileres. Hilvanar ahora a máquina los 25 cm centrales. Planchar la costura abierta.

2 Prender la cremallera en la parte hilvanada a máquina e hilvanarla a mano. Con el prensatelas para cremalleras, coser la cremallera desde el derecho (ver las páginas 150-151). Quitar los hilvanes hechos a mano y a máquina. Abrir la cremallera.

3 Poniendo derecho con derecho, prender un borde largo de una pieza frontal con un borde largo del centro de seda y coserlos a máquina. Prender y coser de igual modo la otra pieza frontal al otro lado del panel de seda. Planchar las costuras abiertas. Prender un trozo de cinta a cada lado del panel central, tapando la costura. Coser las cintas por sus dos bordes.

4 Prender una borla en cada esquina sobre el derecho de la trasera del cojín, con los cordones sobresaliendo del margen de costura y las borlas mirando hacia el centro. Prender encima, derecho con derecho, el frente del cojín de modo que las borlas queden entre medias. Hacer una costura a máquina todo alrededor. Rematar los márgenes de costura con un zigzag. Volver la funda del derecho por la cremallera y planchar. Meter dentro el relleno del cojín y cerrar la cremallera.

Complementar con...

Cojín con panel de seda y galón

Un refinado galón de borlas remata este cojín de tonos suaves y delicados. La seda se debe limpiar en seco, por lo que si el cojín va a tener mucho uso, se utilizará una tela lavable en lugar de seda natural.

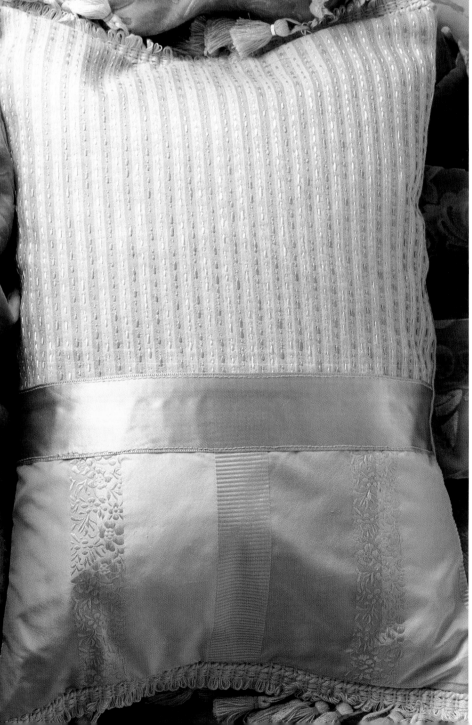

Materiales
- 0,50 m de tela de tapicería de 136 cm de ancho
- 20 × 33 cm de seda para el panel frontal
- 36 cm de cinta de 4 cm de ancho
- 70 cm de galón con borlas de 2,5 cm de ancho
- Cremallera de 25 cm
- Relleno de almohada de 30 × 40 cm
- Hilo de poliéster/algodón coordinado

Nota: El cojín mide 30 × 40 cm.

Cortar
Nota: Se incluye un margen de costura de 1,5 cm de no indicarse otra cosa.

Cortar un rectángulo de tela de 26 × 33 cm para el frente del cojín y dos rectángulos de 43 × 18 cm para la trasera.

 3 HORAS O MENOS

 PROYECTO CON POCA COSTURA

La armonía de los tonos suaves aúna los distintos elementos del cojín.

1 Seguir los pasos 1 y 2 del Cojín con borlas con panel de seda de la página 91. Prender por el borde largo el panel frontal con la pieza del frente del cojín, derecho con derecho, y coserlos a máquina. Planchar la costura abierta. Prender la cinta en el centro del derecho, encima de la costura, y coserla por sus dos bordes.

2 Prender el galón con borlas por los dos lados cortos del frente del cojín, con los flecos hacia dentro y el borde sobre la línea de costura. Prender la trasera del cojín encima, derecho con derecho, y hacer una costura por los cuatro lados. Rematar el margen de costura con un zigzag, volver del derecho la funda de cojín y planchar. Meter el relleno de almohada y cerrar la cremallera.

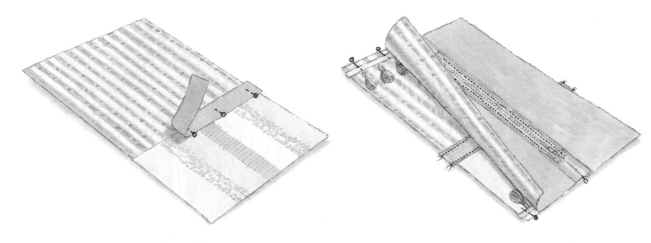

Consejo profesional: Cómo se hace una borla

■ Cortar un trozo de cartón del largo igual al largo que se desee para la borla. Enrollar un hilo de bordar, dejando un extremo suelto arriba. Cuando la borla tenga el grosor adecuado, atar el hilo arriba con un nudo. Cortar los hilos en la base y retirar el cartón.

■ Enrollar hilo de bordar sobre la borla a un octavo y a un cuarto de su altura. Anudar el hilo para sujetarlo.

■ Además de hilo de bordar, se puede utilizar lana y lana de bordar, incluso cordón de ante o de cuero para conferirle un estilo moderno.

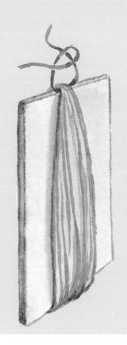

Cojín con galón rizado

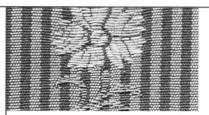

Los vivos, los flecos y los galones perfilan los bordes de los cojines más refinados. En las tiendas de tapicería y pasamanería se reconoce la importancia de estos acabados y cada vez existe más variedad y mejores selecciones de galones de todo tipo y color. Aquí un galón de rizos destaca en el cojín y le aporta textura y contraste. Para lograr un toque suntuoso, el galón se elige del color de la tela. Se cose poniendo en la máquina un prensatelas para cremallera y así la costura queda al borde.

Materiales

- 0,50 m de tela de tapicería de 136 cm de ancho
- 1,80 m de galón
- Cremallera de 30 cm
- Almohada cuadrada para relleno de 40 cm
- Hilo de poliéster/algodón coordinado

Nota: El cojín mide 40 cm de lado.

Cortar

Nota: Se incluye un margen de costura de 1,5 cm de no indicarse otra cosa.

Cortar un cuadrado de 43 cm de lado para el frente del cojín y un rectángulo de 43 × 36 cm y otro de 43 × 10 cm para la trasera.

3 HORAS O MENOS

PROYECTO CON COSTURA

El suave reborde de este cojín lo hace aún más cálido y confortable.

1 Prender los rectángulos de la trasera uno con otro, derecho con derecho, por un borde largo. Hacer una marca a 6,5 cm de cada extremo y coser a máquina desde cada extremo hasta la marca. Hilvanar a máquina los 30 cm centrales. Planchar la costura abierta.

2 Prender la cremallera en la parte hilvanada de la costura e hilvanarla a mano. Con el prensatelas para cremalleras, coser la cremallera a máquina por el derecho (ver las páginas 150-151). Quitar los hilvanes hechos a mano y a máquina. Abrir la cremallera.

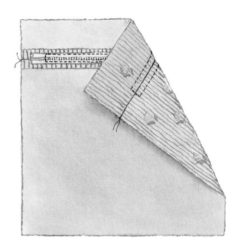

3 Prender el galón sobre el derecho del frente del cojín, por dentro de la línea de costura, con el galón mirando hacia el centro. Fruncir ligeramente el galón en las esquinas para que no tire al volver la funda del derecho y solapar los extremos del galón 1 cm. Cortar el sobrante. Hilvanar a mano el galón en su sitio.

4 Prender la trasera del cojín sobre el frente, derecho con derecho y prenderlo todo alrededor, con el galón entre medias. Con prensatelas para cremalleras, hacer una costura a máquina lo más cerca posible del galón, por los cuatro lados.

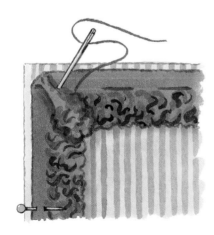

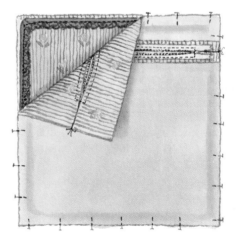

5 Rematar con un zigzag todos los cantos. Quitar el hilván y volver la funda del derecho. Meter la almohada de relleno y cerrar la cremallera.

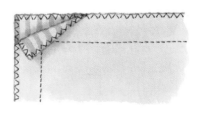

Complementar con...

Cojín con vivo fruncido

En este modelo, la tela se frunce sobre el cordón para vivear con el fin de lograr un efecto de "ruche". Cortar unas tiras al bies de una tela de algodón de grueso mediano o bien de una tela fina de otra textura, como tafetán. La funda se hace igual que la del Cojín con galón rizado de las páginas 94-95, siguiendo las instrucciones de la página 97.

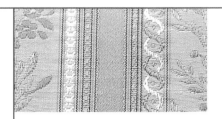

Materiales

- 0,50 m de tela de tapicería de 136 cm de ancho
- 1,80 m de cordón para el vivo de 6 mm de grosor
- Tiras de tela para el vivo, de 5 cm de ancho
- Cremallera de 30 cm
- Almohada para el relleno de 40 cm de lado
- Hilo de poliéster/algodón coordinado

Nota: El cojín mide 40 cm de lado.

Cortar

Nota: Se incluye un margen de costura de 1,5 cm de no indicarse otra cosa.

Cortar el frente y las piezas de la trasera del cojín igual que para el Cojín con galón rizado (página 94).

Cortar unas tiras al bies de 5 cm de ancho para el vivo, como se indica en la página 154, uniendo las tiras para tener una pieza de 165 cm de largo.

Cortar un trozo de cordón para vivear con el que rodear la almohada para el relleno más de 5 cm.

 3 HORAS O MENOS

 PROYECTO CON COSTURA

El vivo fruncido de este cojín repite el motivo sogueado de la tela.

1 Una vez confeccionado el vivo fruncido siguiendo las indicaciones del recuadro, coserlo al cojín prendiéndolo primero sobre el derecho de la pieza por todo el borde, con los cantos hacia fuera y el cordón hacia el centro, siguiendo la línea de costura. Hilvanarlo en su sitio.

2 Donde se unen los dos extremos del cordón, remeter 1 cm de la tela que monta y solapar con ella la tela de debajo. Terminar de coser el vivo sobre la funda. Completar la funda siguiendo los pasos 4 y 5 de la página 95.

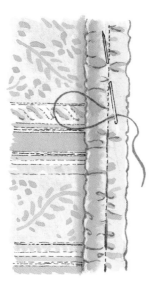

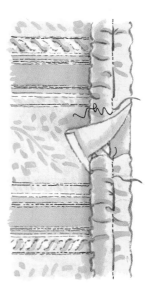

Consejo profesional: Vivo fruncido

■ Doblar la tela por la mitad a lo largo envolviendo con ella el cordón y coserla con éste en un extremo.

■ Con el prensatelas para vivo, hacer una costura a máquina a 1,5 cm de los cantos, y de unos 20 cm de largo.

■ Dejar la aguja bajada sobre la tela y levantar el prensatelas. Tirar con cuidado del cordón por el pasacintas para fruncir la tela hasta que mida unos 10 cm.

■ Seguir cosiendo y frunciendo la tela por partes hasta que el cordón llegue al final de la tira al bies.

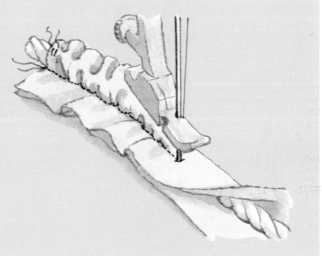

Cojín circular con botón

Este confortable cojín circular también resulta bonito dándole otra forma o como asiento de una silla tapizada. El botón del centro forma un gracioso hoyito, logrando un aspecto mullido. Antes de lavar, quitar los botones, o bien limpiar el cojín en seco.

1 Prender el vivo por los bordes del derecho de los dos discos de tela, con los cantos hacia fuera y los cordones hacia el centro. Hacer unos cortes en el vivo para darle forma redondeada y unir los extremos (ver la página 155). Hilvanar en su sitio. Poniendo derecho con derecho, coser a máquina las dos tiras laterales por un borde estrecho y planchar la costura abierta.

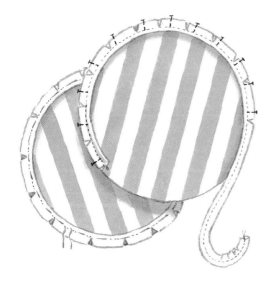

La elección de la tela es fundamental. Aquí se ha logrado un llamativo contraste entre la forma redonda y las rayas.

Materiales

- 0,70 m de tela de tapicería de 136 cm de ancho
- 0,50 m de tela de tapicería de 136 cm de ancho, en color contrastado para el vivo y forrar los botones, más 3 m de cordón para vivear o bien 3 m de vivo ya hecho
- Cremallera de 36 cm
- 2 botones para forrar de 38 mm
- Almohada circular de 45 cm de diámetro y 5 cm de alto
- Hilo de coser coordinado

Nota: El cojín mide 45 cm de diámetro.

Cortar

Nota: Se incluye un margen de costura de 1,5 cm de no indicarse otra cosa.

De la tela principal, cortar dos discos de 48 cm de diámetro para el frente y la trasera y dos tiras de 80 × 8 cm para el lateral.

Si se confecciona el vivo, preparar 3 m (ver las páginas 155-156).

 **3 HORAS O MENOS**

PROYECTO CON COSTURA

2 Hacer una costura a máquina en la tira por sus dos bordes largos, a 1 cm del canto. Prenderla, derecho con derecho, por un borde largo, sobre el borde de uno de los discos, haciendo unos cortes en el margen de costura para darle la forma curva.

3 Donde se encuentren los dos extremos del lateral, y dejando 1,5 cm de margen a cada lado, cortar la tela sobrante.

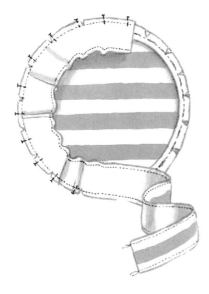

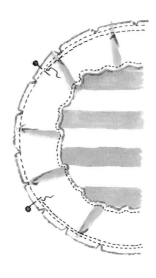

4 Medir 36 cm por la línea de costura y marcar con unos alfileres para dejar una abertura para la cremallera. Coser a máquina sobre la línea de costura. Hacer ahora un hilván a máquina entre los dos alfileres. Planchar la costura abierta.

5 Prender e hilvanar a mano la cremallera sobre la parte hilvanada de la costura. Con prensatelas para cremalleras, coser la cremallera por el derecho (ver las páginas 150-151). Quitar los hilvanes hechos a mano y a máquina. Abrir la cremallera. Poniendo la tela derecho con derecho, coser a máquina los extremos del lateral para unirlos.

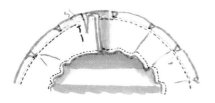

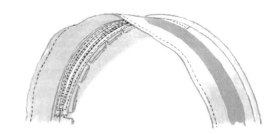

6 Poniendo derecho con derecho, prender el lado largo del lateral con el otro disco, haciendo unos cortes hasta la línea de costura para darle forma redondeada. Coser las dos piezas a máquina. Rematar los cantos con un zigzag a máquina y volver la funda del derecho.

7 Meter la almohada de relleno dentro de la funda y cerrar la cremallera. Forrar dos botones a juego con la tela del vivo (ver la página 153). Utilizando un hilo fuerte y una aguja larga, coser un botón a cada lado del centro del cojín, tirando del hilo para formar un hoyito en el centro del cojín. Hacer un nudo fuerte en el hilo para rematarlo.

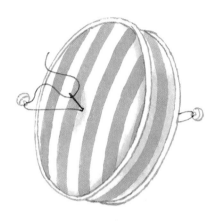

Consejo profesional: Efecto mullido

El efecto mullido que se consigue aquí con el botón es el adorno perfecto para un cojín en forma de caja con bordes viveados.

■ Al forrar los botones, humedecer antes ligeramente la tela (con un pulverizador, por ejemplo); al secarse, encogerá la tela y se ajustará perfectamente al botón.

■ Para que los botones queden exactamente en el centro, antes de montar la funda, marcar el centro de cada pieza doblándola primero por la mitad y luego de nuevo por la mitad y dando un par de puntadas en el pico.

■ Utilizar hilo fuerte, como torzal o hilo de tapicería, y una aguja larga, como una de zurcir o de sombrerera para unir los dos botones.

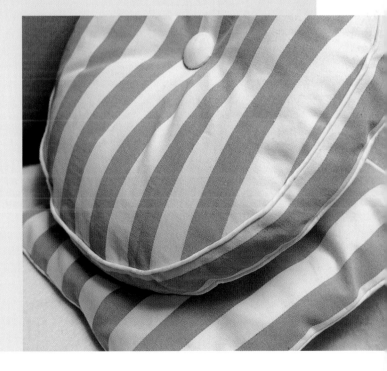

Cojín con fleco y aplicación

Un galón con flecos de algodón y un cuadrante de tela bien elegida aplicado en el centro hacen de este cojín una pieza muy versátil. Los colores claros y frescos armonizan bien con cualquier decoración. Para el centro se necesita poca tela, lo que permite aprovechar un retal o realzar un tejido suntuoso.

Materiales

- 0,50 m de tela de tapicería de 136 cm de ancho
- 0,30 m de tela de tapicería de 136 cm para los paneles centrales
- 2 m de galón con fleco
- Cremallera de 36 cm
- Almohada de 45 cm para relleno
- Hilo de poliéster/algodón coordinado

Nota: El cojín mide 45 cm de lado.

Cortar

Nota: Se incluye un margen de costura de 1,5 cm de no indicarse otra cosa.

Cortar dos cuadrados de 48 cm de la tela principal para el frente y la trasera y dos cuadrados de 23 cm de la tela para los paneles centrales.

 3 HORAS O MENOS

 PROYECTO CON POCA COSTURA

En este modelo se combinan rayas y cuadros de tonos suaves para lograr un marcado efecto gráfico.

1 Doblar hacia dentro 1,5 cm los bordes de los dos paneles centrales, recortando y haciendo las esquinas a inglete (página 150) para que abulten lo menos posible. Prender un panel con el derecho hacia arriba en el centro del frente del cojín y el otro en el centro de la trasera. Hacer una costura por los bordes de los paneles.

2 Prender el galón con flecos sobre el derecho de una de las caras del cojín, con el fleco mirando hacia dentro. Fruncir ligeramente el galón en las esquinas para que no tire al volver la funda del derecho. Hilvanarlo a mano en su sitio.

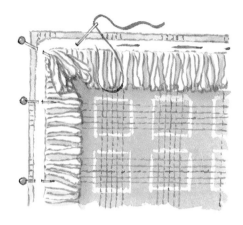

3 Poniendo derecho con derecho, prender las dos caras de la funda por un borde y hacer una costura a máquina hasta 6 cm desde el borde. Repetir al otro lado. Hilvanar ahora los 36 cm centrales. Planchar la costura abierta.

4 Prender la cremallera en la parte hilvanada de la costura e hilvanarla a mano (ver las páginas 150-151). Con el prensatelas para cremalleras, coserla por el derecho. Quitar el hilván. Abrir la cremallera. Prender y coser los demás lados de la funda. Hacer un zigzag o un festón abierto rematando los márgenes de costura. Volver la funda del derecho. Meter la almohada de relleno y cerrar la cremallera.

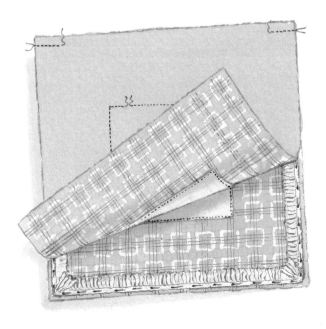

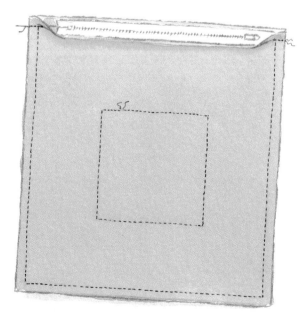

Funda de cojín con lazos

Esta funda, con estampado de hojas en verdes muy primaverales, queda perfecta junto a una ventana soleada. La franja de contraste se enriquece con una doble línea de cinta de raso. El modelo se puede adaptar para un cojín rectangular.

1 Prender derecho con derecho y coser a máquina un lateral largo de la pieza de borde con el lado derecho del frente del cojín. Planchar la costura hacia la pieza de borde.

Materiales

- 0,50 m de tela de tapicería de 136 cm de ancho
- 0,20 m de tela de tapicería de 136 cm de ancho que haga contraste
- 1 m de cinta de 7 mm de ancho
- Almohada de relleno de 45 cm de lado
- Hilo de poliéster/algodón coordinado

Nota: El cojín mide 45 cm de lado.

Cortar

Nota: Se incluye un margen de costura de 1,5 cm de no indicarse otra cosa.

De la tela de tapicería principal, cortar un cuadrado de 48 cm para la trasera, un rectángulo de 48 × 33 cm para el frente y otro rectángulo de 48 × 24 cm para la solapa.

De la tela contrastada, cortar un borde y una vista para el borde de 48 × 18 cm y cuatro tiras de 38 × 8 cm.

> 3 HORAS O MENOS

> PROYECTO CON POCA COSTURA

Para este estilo de cojín coordina bien cualquier tela de dibujo marcado.

2 Prender una tira de cinta encima de la costura por el derecho del cojín y coserla por sus dos bordes. Prender otro trozo de cinta sobre el borde, a 3 cm de la anterior, y coserla del mismo modo que la otra.

3 Doblar por la mitad a lo largo, derecho con derecho, una de las tiras para los lazos. Hacer una costura a máquina en un lado corto y seguir por un borde largo. Recortar el margen de costura y volver la tira del derecho, prendiendo una aguja de tapicería o un imperdible en el extremo cosido y pasándolo por el centro de la tira hasta el extremo abierto. Remeter hacia dentro el extremo abierto y coserlo a mano a repulgo (ver la página 149). Hacer otras tres tiras iguales y plancharlas.

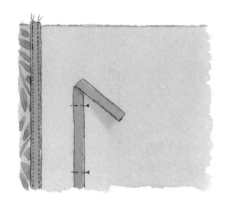

4 Prender dos tiras sobre el derecho del borde frontal, espaciándolas por igual. Hilvanarlas a mano en su sitio. Doblar hacia dentro 1,5 cm del borde largo de la vista para la franja, planchar y hacer una costura a máquina. Ponerla derecho con derecho sobre la franja frontal, casando los cantos, de modo que las tiras queden entre medias. Coser por el borde largo. Volver la vista de la franja hacia dentro y planchar. Coser a mano con repulgo la vista hacia el revés de la costura que mantiene la cinta.

5 Doblar 1 cm y luego 2 cm un borde largo de la solapa y hacer una costura. Prender las otras dos tiras de atar sobre el derecho de la trasera del cojín, espaciándolas por igual. Prender el canto largo de la solapa sobre la trasera del cojín, de modo que las tiras queden entre medias, y hacer la costura.

6 Prender el frente del cojín con la trasera, derecho con derecho, de modo que el borde frontal coincida con la costura de la solapa. Doblar la solapa hacia el revés del frontal y prenderla. Hacer una costura a máquina por los tres lados restantes. Rematar los márgenes de costura con un zigzag. Volver la funda del derecho y plancharla. Meter la almohada de relleno y atar las tiras en lazadas.

Consejo profesional: Contraste y variaciones

Combinando en una misma labor telas que hagan contraste como en esta funda de cojín, se logran efectos artísticos. La tela lisa interrumpe visualmente la tela principal estampada que luego reaparece por debajo, asomando en el borde abierto.

■ Aplicar este principio al proyectar accesorios para la casa. Por ejemplo, si se va a confeccionar un cojín de patchwork con distintas telas estampadas, se puede hacer una franja de borde lisa alrededor y luego repetir la tela de dibujos para la trasera del cojín.

■ Hacer tiras para atar de dos telas que hagan contraste. Cortar dos piezas de cada tela, coserlas por los dos bordes largos y un lado corto y volverlas del derecho. Esta técnica se puede utilizar para unas lazadas como las de este ejemplo; la tela de dibujo puede quedar por fuera o por dentro.

■ Iniciar una colección de telas (unas compradas y otras de retales de piezas utilizadas en otras labores). Siempre habrá ocasión de realizar combinaciones originales.

Funda para silla de comedor con borde de cuentas

Una funda a la medida renueva totalmente una silla de comedor de respaldo alto. Los botones del dorso sujetan la funda en su sitio y permiten quitarla para lavarla. Para un comedor elegante, hacer las fundas iguales; para darle un aire informal, elegir telas coordinadas, una para cada silla.

Materiales

- 1,30 m de tela de tapicería de 140 cm de ancho, añadiendo lo necesario para casar el dibujo si hiciera falta
- 5 botones de 2,5 cm
- 2,10 m de galón con cuentas
- Hilo de poliéster/algodón coordinado

Nota: la funda es para una silla de comedor de 96 cm de altura × 52 cm de ancho y 50 cm de largo. Adaptar las medidas a las dimensiones de la silla. El faldón mide 14 cm de alto, más el galón.

Cortar

Nota: Se incluye un margen de costura de 1,5 cm de no indicarse otra cosa.

Estudiar cómo va a quedar el dibujo de la tela en la silla y comprobar que las piezas casan antes de cortarlas. Cortar una de cada una de las piezas 1, 2 y 5 y dos piezas 3, 4 y 6.

 DE 6 A 8 HORAS

 PROYECTO CON COSTURA

El galón con cuentas aporta una nota contemporánea en esta tela de flores de estilo tradicional.

1 Doblar hacia el revés 1,5 cm y luego 5 cm por el borde central de cada pieza 6 y hacer una costura a máquina. Solapar los bordes con dobladillo para cerrar el dorso de la silla e hilvanar la parte superior para sujetarla.

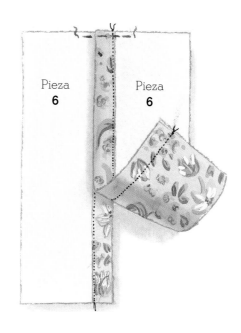

Para hacer el patrón

Decidir el alto del faldón y marcar la línea del dobladillo en las patas de la silla con cinta adhesiva de pintor. Siguiendo el dibujo de la derecha, medir la silla y dibujar en un papel las piezas del patrón.

Para las piezas 1, 2 y 3, añadir todo alrededor 2 cm de margen de costura. Los 5 mm extra son para el "embebido".

Para las piezas del patrón 4 y 5, añadir un margen de costura de 2 cm en los bordes de arriba y de los lados, y 3 cm en el borde inferior.

Para la pieza 6, añadir un margen de costura de 2 cm en los bordes de arriba y los laterales y 3 cm para el dobladillo en el borde inferior. Doblar la pieza del patrón por la mitad a lo alto para hallar el centro del respaldo y añadir 9 cm a ese lado del patrón. Utilizar esta "mitad" para cortar las dos piezas 6.

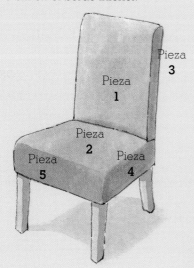

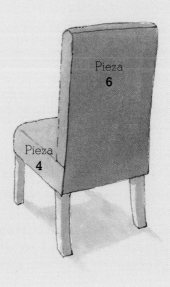

2 Prender la parte de arriba de la pieza 1, derecho con derecho, con la parte de arriba del dorso y coserlas a máquina, dejando un margen de 1,5 cm. Prender la pieza 1 con la 2, derecho con derecho. Coserlas a máquina dejando 1,5 cm de margen de costura, para formar el asiento y el respaldo.

3 Colocar sobre la silla las piezas cosidas, con el revés hacia fuera, y alisar la tela para situarla en su sitio. Prender los laterales (piezas 3) con el revés hacia fuera, comprobando que quedan bien. Retirar la funda de la silla y coser los laterales, dejando 1,5 cm de margen de costura. Recortar ese margen a 6 mm y planchar las costuras.

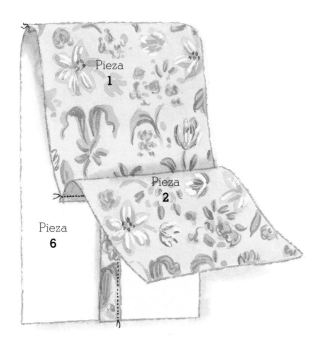

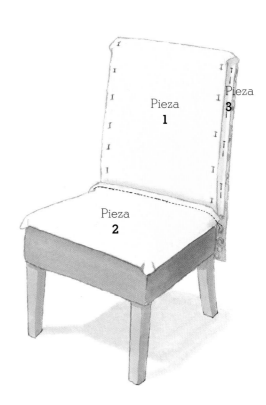

4 Poniendo las telas derecho con derecho, prender una pieza 4 a cada lado corto de la pieza 5. Hacer las dos costuras a máquina, dejando un margen de 1,5 cm y parando a 1,5 cm del borde superior para formar el faldón. Prender el faldón, derecho con derecho, siguiendo un canto del lateral, los tres lados del asiento y el canto del otro lateral, casando las costuras del faldón con las esquinas. Las costuras abiertas permiten volver las esquinas del asiento. Hacer la costura a máquina, dejando un margen de 1,5 cm. Volver hacia el derecho y planchar las costuras para aplastarlas.

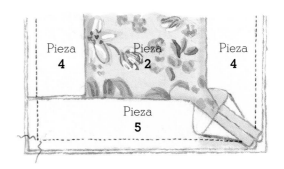

5 Colocar la funda en su sitio sobre la silla, metiendo los cantos del lateral del faldón (piezas 4) hacia el revés del respaldo. Prender y coserlos en su sitio. Retirar la funda y hacer un zigzag a máquina rematando los cantos de dentro.

6 Doblar hacia el revés 1 cm y luego 2 cm el borde inferior del dorso del respaldo y faldón y prenderlo. Coser este dobladillo a máquina. Marcar la posición de los cinco botones en el dobladillo central, espaciándolos por igual, y hacer los cinco ojales (ver las páginas 151-152). Coser los botones en el dobladillo de debajo, casándolos con los ojales.

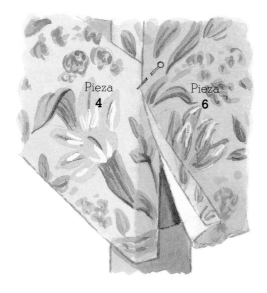

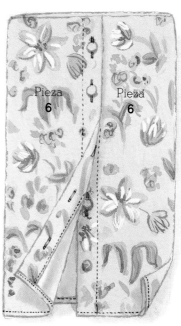

7 Prender el galón con cuentas sobre el dobladillo que bordea el faldón y coserlo a máquina, montando los extremos para rematarlos.

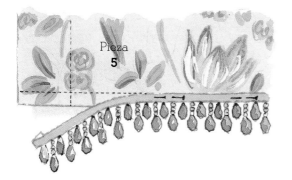

Consejo profesional: Ojales

Si se prefiere no hacer ojales, a mano o a máquina, se pueden hacer presillas de hilo (varias pasadas de hilo sobre las que se trabaja a punto de ojal) en un borde.

■ También se pueden sujetar los bordes de la funda con dos o más pares de cintas de la misma tela o de otra (como en la página 121).

■ Una vez vueltas las cintas de tela hacia el derecho y planchadas, se doblan los cantos del lado abierto hacia el revés, se hilvanan y se cose la cinta sobre el borde, perpendicular a él. Dejar espacio suficiente entre cada par de cintas para hacer una lazada decorativa.

Funda para silla de comedor con pliegue en el dorso

Otra manera decorativa de sujetar la funda de una silla es con un pliegue invertido en el dorso del respaldo, que puede ser de la misma tela o de otra que haga contraste. Unos lazos anchos de la misma tela o de cinta, aportan elegancia al conjunto. La tela extra del pliegue permite poner y quitar la funda con facilidad. El patrón es el mismo que el de la Funda con borde de cuentas, adaptando ligeramente el paso 6.

Materiales

Igual que para la Funda de silla de comedor con borde de cuentas, más:

- Pieza de tela que haga contraste con la funda: el largo del respaldo × 33 cm
- 1,80 m de cinta de 35 mm de ancho o 40 × 28 cm de tela extra para hacer las cintas

Cortar

Nota: Se incluye un margen de costura de 1,5 cm de no indicarse otra cosa.

Comprobar cómo queda el patrón de la funda sobre la silla y asegurarse de que casan las piezas pares antes de cortarlas. Cortar una pieza 1, 2, 5 y el pliegue invertido, y dos piezas 3, 4 y 6. Cortar cuatro tiras de 40 × 7 cm de tela, si se confeccionan las cintas de los lazos.

⏱ 3 HORAS O MENOS

🪡 PROYECTO CON COSTURA

Los lazos hacen aún más espectaculares estas sofisticadas fundas.

1 Cortar la cinta en cuatro partes iguales, o confeccionar las cintas de este modo: doblar, derecho con derecho, cada tira de tela por la mitad a lo largo. Prender y hacer una costura a máquina en un extremo y a lo largo del borde, dejando un margen de 1,5 cm. Recortar el margen a 6 mm y volver la cinta del derecho. Plancharla. Prender las cintas por parejas, poniéndolas canto con canto con el derecho de la abertura central del dorso (piezas 6). Hilvanarlas. Poniendo derecho con derecho, prender el rectángulo del pliegue con los bordes de la abertura central. Coser a máquina el pliegue con los bordes de la abertura, dejando un margen de 1,5 cm.

2 Planchar las costuras. Cerrar el pliegue juntando los bordes de la abertura. Planchar los pliegues por las costuras. Darle buena forma e hilvanarlo por el borde superior. Seguir los pasos 2 a 6 de la Funda para silla de comedor con borde de cuentas de las páginas 110-111 para terminar la funda, omitiendo los ojales y los botones.

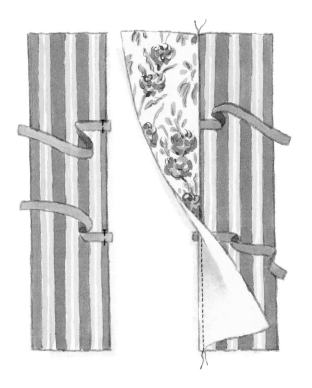

Cómo se hace el patrón

Dibujar en papel las piezas 1 a 5 (ver la página 109).

Para la pieza 6, medir el respaldo de la silla y añadir 2 cm de margen de costura por arriba y por los lados y 3 cm en la parte inferior. Doblar el patrón por la mitad a lo largo para hallar la costura del centro y

añadir 1,5 cm de margen a ese borde. Utilizar esta «mitad» para cortar las dos piezas 6.

Para hacer el patrón del pliegue invertido, dibujar un rectángulo del largo de la altura del respaldo y de 33 cm de ancho.

Funda de asiento con trabillas y botones

Una sencilla funda suelta, sujeta por trabillas con ojales o con velcro, convierte una tapicería usada en una preciosa silla de estilo country. El faldón del asiento puede ser liso y a la medida, fruncido o plisado en volante, atado con lazadas. El asiento terminado se ajusta a un asiento de 40 cm de lado y el faldón mide 9 cm de altura.

Materiales

- Papel para patrón y lápiz
- 0,50 m de tela de lino de 150 cm de ancho
- 8 botones o flores de fieltro
- 2,20 m de galón de piquillo
- Trocitos de entretela termoadhesiva de grosor medio
- Parches de velcro adhesivos

Cortar

Nota: Añadir 1,5 cm de margen de costura a todas las piezas del patrón, excepto a las trabillas.

Medir el ancho y el largo del asiento de la silla, teniendo en cuenta las áreas que habrá que recortar en los barrotes. Dibujar el patrón en un papel.

Para los laterales, el frente y el dorso del faldón, dibujar unos rectángulos de 9 cm, más el margen de costura, por el ancho y por el largo de la silla, más márgenes de costura.

Para la trabilla del frente, dibujar un rectángulo de 14 × 3,5 cm. Para la trabilla trasera, dibujar un rectángulo de 10,5 × 3,5 cm. Colocar los patrones al hilo de la tela. Cortar:

1 pieza para el asiento
2 piezas laterales del faldón
1 pieza frontal del faldón
1 pieza dorsal del faldón
4 trabillas frontales y 4 trabillas traseras

Cortar 2 piezas de entretela para la trabilla frontal y 2 para la trabilla trasera

 3 HORAS O MENOS

 PROYECTO CON POCA COSTURA

Los colores vivos van bien con muebles pintados.

1 Hacer una costura a máquina a 1,5 cm de los bordes (siguiendo la línea de costura) en las dos esquinas traseras del asiento, donde corresponde a los barrotes de la silla. Doblar hacia el revés el margen de costura, dando un corte en la esquina interna para poderlo doblar. Coser el dobladillo.

2 Doblar hacia el revés 5 mm y luego 1 cm en los tres bordes exteriores de cada pieza de asiento, ingleteando las esquinas exteriores (ver la página 150). Coserlo a máquina. Coser el galón de piquillo a lo largo del dobladillo de cada pieza del faldón.

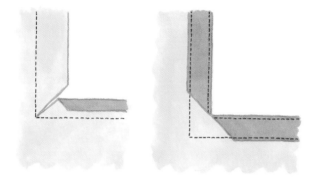

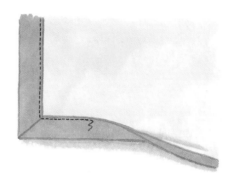

3 Prender el faldón delantero, derecho con derecho, con el borde frontal del asiento y coserlos por la línea de costura. Recortar el margen a 1 cm, rematarlo con un zigzag y planchar. Coser las demás piezas del faldón del mismo modo.

4 Pegar con la plancha las tiras de entretela por el revés de una pieza de las trabillas delanteras. Poner encima otra pieza, derecho con derecho, prenderlas y coserlas por los bordes a 5 mm de los cantos y dejando una abertura de 3 cm. Volver las tiras del derecho. Coser a repulgo la abertura y planchar la trabilla aplastando las costuras. Hacer igual la otra trabilla delantera y las dos traseras.

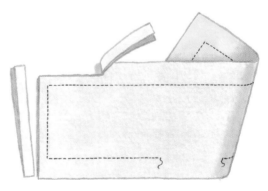

5 Colocar la funda de asiento sobre la silla y prender las trabillas en su sitio. Coser un botón situándolo a un lado de una trabilla delantera, cosiéndola al faldón. Coser otro botón al otro lado y pegar unos parches de velcro por el revés de la trabilla y por el derecho del faldón, casándolos. Fijar las otras tres trabillas del mismo modo.

Complementar con...

Funda de asiento de damasco

En este proyecto sencillo pero elegante, se transforman dos servilletas de damasco en una magnífica funda de asiento. Los bordes de las servilletas ya llevan dobladillo, lo que ahorra costuras, y como las que se utilizan aquí tienen un dibujo simétrico, es fácil casar la tela con el faldón.

Materiales

- 2 servilletas de damasco a juego, de 40 cm de lado
- 1,20 m de galón fruncido
- 2,90 m de cinta de 12 mm de ancho
- Hilo de coser coordinado

Nota: La funda de asiento es para una silla de unos 37 cm de lado.

Cortar

Nota: Se incluye un margen de costura de 1,5 cm de no indicarse otra cosa.

Cortar una tira de 11,5 cm de lados opuestos de una servilleta para los faldones laterales. Cortar la otra pieza en una tira de 13 cm de ancho para el faldón delantero. Dejar la otra servilleta entera para cubrir con ella el asiento.

3 HORAS O MENOS

PROYECTO CON POCA COSTURA

Unas servilletas se transforman en fundas de asiento, a juego con el mantel que cubre la mesa.

1 Doblar hacia el revés 1,5 cm en un borde corto de cada faldón lateral (por el mismo borde en las dos) y coserlo a máquina. Doblar hacia el revés los bordes cortos y uno largo del faldón delantero y coserlos a máquina.

2 Poniendo derecho con derecho, centrar el borde sin dobladillo del faldón delantero sobre un borde de la servilleta entera y hacer una costura a máquina. Planchar la costura abierta.

3 Prender los faldones laterales, derecho con derecho, sobre los lados de la servilleta entera, con el borde con dobladillo hacia el frente. Coserlos a máquina y planchar las costuras abiertas.

4 Prender y coser a máquina un trozo de galón fruncido por el borde inferior de los faldones laterales y del delantero. Cortar ocho trozos de cinta de 36 cm y prenderlos por pares en los costados del faldón delantero, de los laterales y del borde trasero del asiento, haciéndolos coincidir, según se ve en el dibujo de abajo. Coserlos.

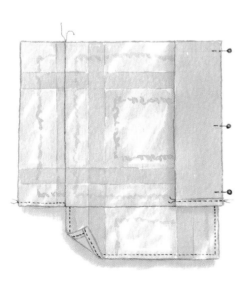

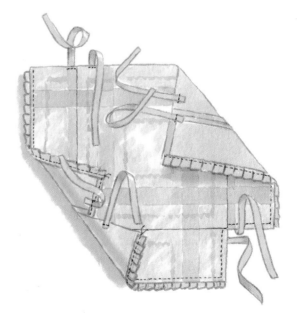

Cojín para silla de cocina

Las sillas de madera son prácticas, pero necesitan algo mullido en el asiento para resultar cómodas. Una "galleta" a la medida es una buena idea para un cojín que aporte estilo a la cocina, para lo cual se corta la gomaespuma según las dimensiones y forma del asiento. La combinación del blanco con el azul es refrescante y anima la cocina más anodina. Los ramilletes de flores amarillas de la tela elegida evocan el sol del verano.

Materiales

- Papel para patrones
- Lápiz
- Un cuadrado de gomaespuma de 50 cm de lado y 2,5 cm de grosor
- Un cuadrado de tela de tapicería de 50 cm de lado para el derecho del cojín
- Un cuadrado de tela de tapicería de 50 cm de lado para el dorso del cojín
- Un trozo de tela de 30 × 50 cm para los lazos
- Tela cortada al bies y 1,90 m de cordón para vivear o bien 1,90 cm de vivo ya hecho
- Cremallera de 25 cm

Nota: El cojín mide 40 × 45 cm. Adaptar las medidas al tamaño del asiento.

 3 HORAS O MENOS

 PROYECTO CON POCA COSTURA

1 Doblar por la mitad el papel para patrón y colocarlo sobre el asiento de la silla, alineando el centro de la silla con el doblez del papel. Dibujar el borde del asiento. Dibujar otra línea paralela a la anterior y a 1,5 cm por fuera de ella, para el margen de costura. Recortar el patrón y abrir el papel. Cortar una pieza de tela para el derecho del cojín y otra para la parte inferior. Con un cuchillo o cúter, cortar la gomaespuma al tamaño del patrón, menos el margen de costura.

Una "galleta" con gomaespuma para el asiento de la silla es una buena idea para aportar confort a la cocina.

2 Hacer una tira de vivo de 132 cm de largo (ver la página 155). Prenderla e hilvanarla por el derecho del borde de la parte de encima del asiento, con los cantos hacia fuera y el borde con el cordón justo por dentro de la línea de costura. Dar unos cortes en el margen de costura para formar las esquinas. Unir los extremos del vivo (ver la página 155).

3 Preparar ahora los lazos. Cortar una tira de tela de 8 × 42 cm, al hilo de la tela. Doblar la tira por la mitad a lo largo, derecho con derecho. Dejando un margen de 13 mm, coser un borde corto y todo el borde largo. Recortar el margen de costura y volver la cinta del derecho. Plancharla para aplastarla, situando la costura en el centro de la cinta.

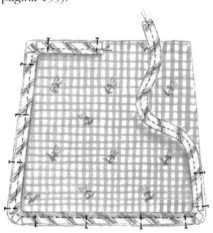

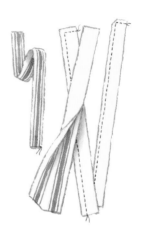

4 Casando los cantos, prender e hilvanar una cinta al lado derecho del borde posterior del asiento, a unos 5 cm del costado. Prender e hilvanar otra cinta en ese borde, a 5 cm del otro costado.

5 Poniendo derecho con derecho, prender la cara inferior sobre la superior, a lo largo del borde posterior. Marcar los 25 cm centrales en el borde con unos alfileres. Hacer una costura a máquina desde cada extremo hasta el alfiler. Hilvanar a máquina los 25 cm centrales. Planchar la costura abierta. Prender e hilvanar la cremallera en la parte hilvanada de la costura (ver las páginas 150-151). Con el prensatelas para cremallera, coser la cremallera en su sitio por el derecho. Quitar los hilvanes. Abrir la cremallera.

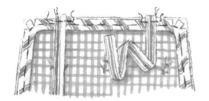

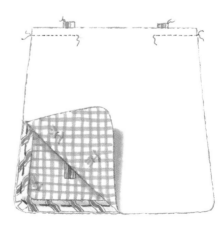

6 Prender e hilvanar las otras dos tiras de cinta en los costados de la cara inferior del asiento, a unos 2,5 cm del borde posterior. Prender la cara de encima con la de debajo del asiento, derecho con derecho, y coser a máquina los tres lados restantes, haciendo la costura lo más cerca posible de la línea de costura del vivo. Volver la funda del derecho y quitar los hilvanes. Introducir la gomaespuma y cerrar la cremallera.

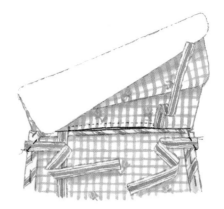

Consejo profesional: Cintas confeccionadas

Las cintas de tela se confeccionan fácilmente siguiendo el método indicado en el paso 3. Para conseguir un efecto más refinado, se centra la costura en el dorso de la cinta.

■ Primero se dobla la tira de tela, derecho con derecho, y se cose un borde largo como en el paso 3, pero sin coser los extremos. Cortar los márgenes de costura y planchar la costura abierta.

■ Con la cinta aún del revés, se coloca la costura en el centro y se plancha la tira ligeramente y se cose uno de los extremos. Planchar y recortar el margen de costura y volver ahora la cinta del derecho (sacando las esquinas con una aguja de punto).

■ Planchar la cinta aplastándola.

Capítulo 5

ACCESORIOS

El cuidado del detalle es lo que aporta elegancia a una casa. En este último apartado se desvelan algunos de esos proyectos rápidos y fáciles, que dan el toque definitivo a una decoración.

Pantalla plisada con borde de cuentas

Una pantalla de bordes rectos, de estilo imperio, se ha forrado aquí con pliegues iguales y se ha decorado con un precioso galón de cuentas. Para que no quede con excesivo volumen, se elige una tela de algodón fina o de seda.

Materiales

- Marco de pantalla con laterales rectos, de 15,5 cm de altura
- 40 cm de tela fina de algodón o seda de 115 cm de ancho
- 2 m de galón para ribetear de 1 cm de ancho
- Pegamento para tela
- 70 cm de galón con cuentas
- Hilo de coser coordinado.

Nota: En esta pantalla el aro superior mide 10 cm de diámetro y el inferior 20 cm. Adaptar las cantidades de tela al tamaño de la pantalla.

Cortar

Cortar dos rectángulos de tela de 58 × 19 cm para el panel frontal y el trasero. Cada panel de tela, una vez plisado, sirve para forrar media pantalla, con los finales solapándose 1 cm.

Cortar unas tiras al bies de 3 cm uniéndolas para obtener un bies continuo de 102 cm de largo con el que forrar los aros de la pantalla. Doblar los cantos 5 mm hacia el revés y plancharlos.

 3 HORAS O MENOS

 PROYECTO CON POCA COSTURA

El color de la pantalla de una lámpara produce una luz de igual tonalidad.

1 Enrollar el galón de ribetear sobre el aro superior y el inferior del marco de pantalla.

2 Formar 22 pliegues iguales por el borde superior de uno de los paneles de tela, sujetando los pliegues con alfileres. Plisar el otro panel de igual modo.

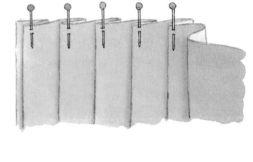

3 Con la tela sobresaliendo del marco, prender el primer panel sobre el galón que forra el aro superior del marco. Estirar los pliegues hacia el aro inferior, manteniendo los bordes de los pliegues al hilo de la tela y abrir los pliegues para adaptarlos al aro, prendiéndolos de uno en uno. Prender el otro panel del mismo modo, solapando los pliegues de las uniones.

4 Coser a dobladillo (ver la página 149) los pliegues de arriba y de abajo sobre el galón que forra los aros y recortar la tela sobrante.

5 Poniendo el derecho del bies por dentro del aro de arriba, coser un borde doblado en su sitio, doblarlo sobre el aro y solapar los extremos en la unión. Doblar el bies por encima hacia el derecho de la pantalla y pegarlo en su sitio. Repetir el proceso en la base de la pantalla. Prender el galón con cuentas por dentro de la base de la pantalla y coserlo en su sitio a repulgo.

Pantalla sin costura

Esta pantalla, que no precisa costura, es una buena ocasión de aprovechar retales para confeccionar una pieza realmente especial. Para que el resultado sea perfecto, elegir una pantalla con forma básica sencilla y paredes oblicuas rectas.

Materiales

- Pantalla de tamaño mediano, forrada de tela, con 8 paneles
- Cepillo para ropa (optativo)
- Papel para patrón y lápiz
- 45 cm de tela de algodón azul lisa
- 45 cm de tela de algodón de cuadritos
- Pinzas de la ropa
- Pegamento para tela o adhesivo en aerosol
- 1,30 m de galón en zigzag para las uniones
- 1,40 m de cinta de terciopelo azul de 5 mm de ancho
- 4 motivos florales de seda

🕐 **3 HORAS O MENOS**

✂ **PROYECTO SIN COSTURA**

Nota: Utilizar el adhesivo en aerosol en una zona bien ventilada.

Combinar telas lisas y telas con dibujo para lograr un estilo que armonice con otras tapicerías.

1 Si se utiliza una pantalla usada, cepillarla bien con cepillo para ropa con el fin de eliminar el polvo. Medir el contorno del aro superior y del inferior, marcar ocho puntos a intervalos iguales en los dos aros y hacer un patrón de papel para los paneles. No hay que añadir margen de costura al cortar el patrón.

2 Prender el patrón del panel sobre la tela azul y cortar cuatro paneles. Repetir con la tela de cuadritos, cortando otros cuatro paneles.

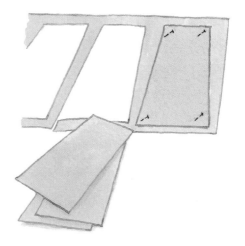

3 Con las pinzas de la ropa, colocar los ocho paneles alrededor de la pantalla, sin solaparlos, alternando los azules con los de cuadritos. Con pegamento para telas o adhesivo en aerosol, pegar los paneles sobre la pantalla y reajustar las pinzas para mantener las telas tirantes. Cortar ocho trozos iguales del galón en zigzag, 1 cm más cortos que la altura de la pantalla.

4 Con el adhesivo en aerosol, pegar el galón tapando las uniones de los paneles. Cortar la cinta de terciopelo a la medida del aro superior y del aro inferior y pegarla en su sitio, remetiendo los extremos de la cinta y uniéndolos con una gota de pegamento. Por último, pegar los motivos florales de seda con un poco de adhesivo en aerosol. Dejar secar durante 24 horas.

Marco de foto forrado de tela

Forrando de tela un marco, las fotos de familia adquieren un aire dulce y encantador. También sirve para separar grupos de fotos, añadiéndoles colorido, dibujo y textura interesantes. Una capa de entretela blanda realza la superficie y le aporta volumen. Elegir un marco liso, de líneas sencillas, para que la tela se amolde a su superficie. Adaptar las medidas a las dimensiones del marco.

Materiales

- 34,5 × 31 cm de tela de algodón
- 21,5 × 18 cm de guata o de entretela para cortinas
- Marco de fotos de 21,5 × 18 × 1,5 cm
- Apresto en aerosol
- Adhesivo en aerosol
- Pegamento fuerte para manualidades
- 43 cm de cinta de 1 cm de ancho

 3 HORAS O MENOS

 PROYECTO SIN COSTURA

Nota: Utilizar el adhesivo en aerosol en una zona bien ventilada.

Este proyecto sin costura puede ser un bonito regalo personalizado para familiares y amigos.

1 Aplicar apresto en aerosol sobre el revés de la tela de algodón y dejar que se seque bien. Cortar una pieza de guata o de entretela del tamaño del frente del marco. Medir la abertura del marco y recortar el centro de la guata o entretela. Aplicar adhesivo en aerosol al dorso de la guata y pegarla sobre el frente del marco.

2 Medir la altura y el ancho del frente del marco. Añadir el grosor del marco en los cuatro lados y también en la abertura central, más el ancho del dorso del marco. Cortar un rectángulo de la tela almidonada, de esas dimensiones. Con un lápiz blanco o tiza de sastre, dibujar un rectángulo del tamaño de la abertura en el centro del revés de la tela. Medir el grosor del marco en la abertura y marcar esa distancia por dentro del rectángulo central y dibujar un segundo rectángulo. Recortar el segundo rectángulo y dar unos cortes en las esquinas hasta el primer rectángulo central.

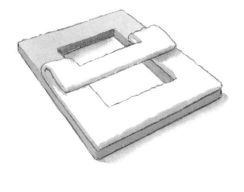

3 Aplicar adhesivo en spray sobre el revés de la tela y colocar sobre ella el marco, con la guata hacia abajo. Cortar los lados de la tela en línea con las esquinas, dejando sin cortar un cuadrito de la medida del grosor del marco, en cada esquina. Arriba y abajo del marco, cortar la tela en línea con las esquinas del marco. Doblar los lados sobre el revés del marco y pegarlos con adhesivo fuerte. Repetir con las solapas de arriba y de abajo y doblar los cuadritos de las esquinas, pegándolos también con adhesivo.

4 Aplicar el pegamento fuerte en los bordes de la tela, por dentro de la abertura central, pegándolos y alisándolos para eliminar cualquier arruga. Cortar una tira de cinta para pegarla por el borde interior de la abertura, solapando los extremos y tapando los cantos de la tela.

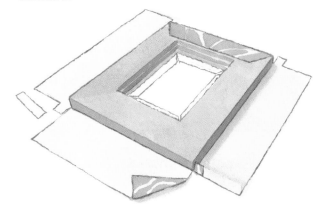

Caja expositora

Todos tenemos recuerdos y colecciones que hemos ido reuniendo a lo largo de los años. En lugar de tenerlos guardados en un cajón o un armario se pueden exponer a la vista. Los primeros zapatitos del bebé, por ejemplo, son un buen adorno para un cuarto infantil. Una caja enmarcada es la mejor manera de lucirlos. En las tiendas de marcos y de manualidades se encuentran cajas de madera con marco liso. Se forran por dentro y por fuera con telas bonitas a juego con el color de la habitación y los objetos se sujetan con parches autoadhesivos de dos caras o con pegamento para manualidades.

Materiales

- 38 × 42 cm de lienzo de algodón para el exterior
- 68 × 24 cm de tela para forrar el interior de la caja
- Apresto en aerosol
- Adhesivo en aerosol
- Adhesivo fuerte para manualidades
- Cinta adhesiva de pintor
- Papel para proteger
- Caja expositora comercial

Nota: El marco mide 23,5 × 18,5 × 7 cm. Adaptar las medidas a las dimensiones de la caja.

 3 HORAS O MENOS

 PROYECTO SIN COSTURA

Nota: Utilizar el adhesivo en aerosol en una zona bien ventilada.

Forrar el interior de la caja con una tela lisa o con poco dibujo para que destaquen bien los objetos expuestos.

1 Rociar el revés de las dos telas con apresto y dejar secar del todo. Retirar la trasera de la caja y cortar una pieza de tela para forrar el interior de ese tamaño más 1,5 cm de margen de costura. Rociar con adhesivo el derecho de la trasera de la caja y poner la tela encima, alisándola, doblando los bordes hacia el revés y pegándolos con adhesivo fuerte para manualidades.

2 Cortar una tira de la tela de forrar, de la altura del interior de la caja y de un largo igual al de los cuatro lados más 1 cm para montar. Tapar el cristal por el interior y el exterior con papel para proteger y cinta de pintor. Rociar con adhesivo el interior de la caja y pegar la tira de tela, montando los extremos.

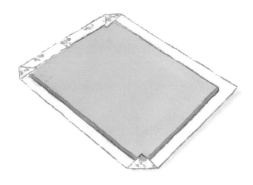

3 Medir la profundidad de la caja más el frente del marco, la profundidad de la abertura del marco y el dorso del marco. Cortar una tira de lienzo de ese ancho y de un largo suficiente para envolver todos los lados más 1 cm para montar. Rociar con adhesivo todo el exterior de la caja. Poner la tira de tela sobre una superficie lisa, con el revés hacia arriba, y situar la caja en el centro de la tira. Alisar la tela sobre la caja, pegando los extremos con adhesivo.

4 Rociar adhesivo sobre el frente del marco. Doblar la tela en las esquinas a inglete y pegarlas con pegamento. Aplicar también pegamento en los bordes de la tela y apretarlos contra el borde de la abertura. Doblar las esquinas en el dorso de igual modo y pegarlas. Retirar la cinta adhesiva y el papel de protección. Para fijar los zapatos, cubrir las suelas con adhesivo fuerte para manualidades y presionar por dentro de los zapatos contra el fondo de la caja.

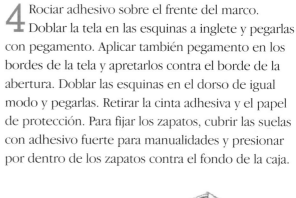

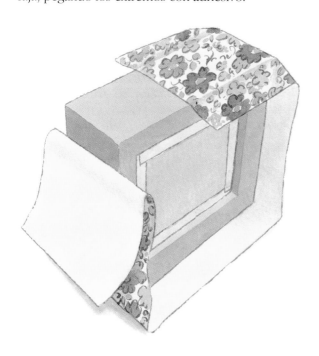

Archivador

Los archivadores sirven para tener la mesa del despacho libre de papeles. Las cajas archivadoras del comercio suelen ser caras, y la solución práctica es hacerlas uno mismo. Se montan con piezas de cartón que se van pegando y se forran con telas bonitas para que resulten decorativos en los estantes. Se pueden hacer varios archivadores iguales o forrarlos con telas de dibujo o de color distinto para identificarlos mejor. Se puede elegir, por ejemplo, un color para la contabilidad de la casa, otro para las recetas preferidas recortadas de revistas, y otro para unas preciadísimas cartas de amor.

Materiales

- 0,70 m de tela de algodón de 137 cm de ancho
- Dos láminas de 59,5 × 84 cm de cartón fuerte
- Adhesivo en aerosol
- Apresto para tela en aerosol
- Adhesivo fuerte para manualidades
- 90 cm de cinta de lino autoadhesiva de 5 cm de ancho
- 8 cm de cinta de 1 cm de ancho
- Cúter
- Regla de acero
- Tapete de corte
- Cinta adhesiva transparente

Nota: El archivador mide 25 × 33 × 8 cm.

 DE 6 A 8 HORAS

 PROYECTO SIN COSTURA

Nota: Utilizar el adhesivo en aerosol en una zona bien ventilada.

La tela de rayas combina muy bien con la naturaleza angular de estos accesorios de despacho.

1 Extender la tela planchada sobre una superficie lisa y rociarla por el revés con apresto. Dejar secar del todo. Aplicar adhesivo a los extremos de la pieza 1 y pegar sobre ellos las piezas 2. Sujetar con tiritas de cinta adhesiva transparente. Pegar la otra pieza 1 del mismo modo para formar un marco.

2 Cortar una tira de tela de 113 × 10 cm. Aplicar adhesivo en aerosol al exterior del marco y pegar sobre él la tela, forrando los cuatro lados y montando los extremos, dejando un borde igual arriba y abajo. Doblar el borde hacia el interior del marco por arriba y por abajo, y pegarlo con adhesivo de manualidades.

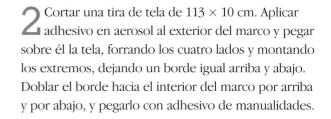

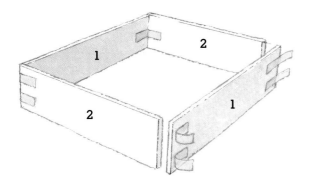

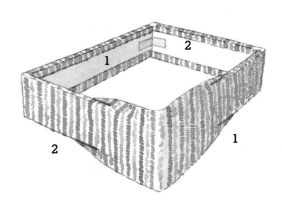

Cortar

■ Con el cúter y una regla de acero, y utilizando un tapete de corte, medir y cortar las siguientes piezas de cartón fuerte:

■ Seis piezas de 31 × 7 cm. Pegarlas de tres en tres para formar dos paneles (piezas 1).

■ Seis piezas de 24 × 7 cm. Pegarlas de tres en tres para formar dos paneles (piezas 2).

■ Dos piezas de 33 × 25 cm. Pegarlas para formar un panel (pieza 3).

■ Tres piezas de 33 × 7 cm. Pegarlas para formar un panel (pieza 4).

■ Dos piezas de 33 × 24 cm. Pegarlas para formar un panel (pieza 5).

■ Cuatro piezas de 24 × 2,5 cm. Pegarlas de dos en dos para formar dos paneles (piezas 6).

■ Dos piezas de 33 × 2,5 cm. Pegarlas para formar una pieza (pieza 7).

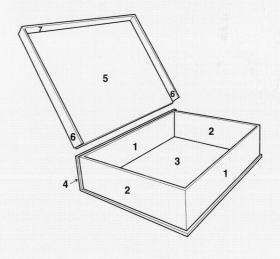

3 Aplicar adhesivo fuerte para manualidades al borde inferior de la pieza 4 y pegarlo sobre el borde trasero de la pieza 3, sujetándolo con cinta adhesiva por las dos caras.

4 Para hacer la tapa, aplicar pegamento de manualidades por el borde inferior de la pieza 7 y pegarlo sobre el borde trasero de la pieza 5. Pegar las piezas 6 a lo largo de los bordes cortos de la pieza 5, sujetando las uniones con cinta adhesiva. Cortar una tira de 43 cm de cinta de lino adhesiva. Como indica el dibujo de abajo, unir la pieza 4 con la 5 con la cinta, dejando un espacio de 5 mm entre las dos piezas de cartón. Dar un corte en la cinta a ras del borde de la tapa para poder doblar hacia dentro las esquinas de la tapa y de la pieza 4.

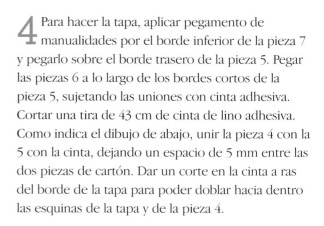

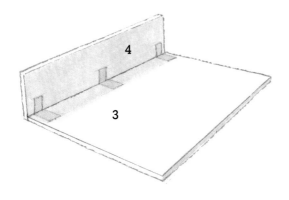

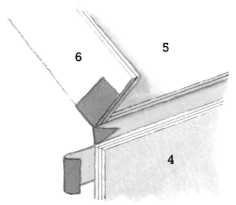

5 Cortar una pieza de tela de 34 × 37 cm. Aplicar adhesivo en aerosol por la parte de debajo de la pieza 3 y por el revés de la 4 y pegar la tela de modo que su borde largo coincida con el borde largo de la pieza 4 y sobresalga por igual por las piezas en los demás bordes.

6 Donde sobresale la tela por el borde de la base, cortar un cuadrado en la esquina dejando que sobresalga 1 cm en cada esquina, comprobando que el borde interno sobresale apenas por debajo de la base. Doblar hacia arriba la pieza rodeando la esquina para que quede un borde limpio y pegarla. Doblar hacia arriba los demás lados y pegarlos.

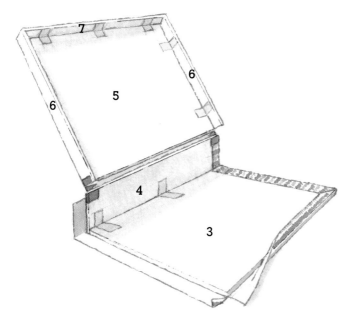

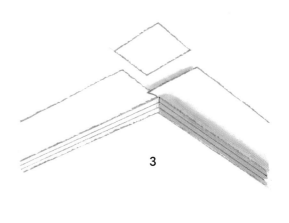

7 Pegar un trozo de cinta de lino adhesiva de 32 cm, a lo largo del interior de la unión de la pieza 4 con la tapa para que coincida con la cinta del exterior.

8 Pegar el marco sobre la base y la trasera con adhesivo fuerte para manualidades, sujetándolo por dentro con cinta adhesiva. Cortar un trozo de tela de 28 × 45 cm. Rociar con adhesivo la parte superior y los laterales del exterior de la tapa y pegar la tela montando sobre el borde de la cinta y comprobando que el borde cortado forme una línea recta. Dar un corte en las dos esquinas frontales desde el borde frontal de la tela hasta las esquinas de la tapa y pegar la tirita sobre la pestaña hacia dentro de la tapa. Doblar por encima la otra pestaña de tela y pegarla para que las esquinas queden bien hechas.

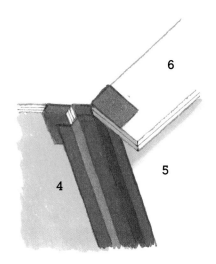

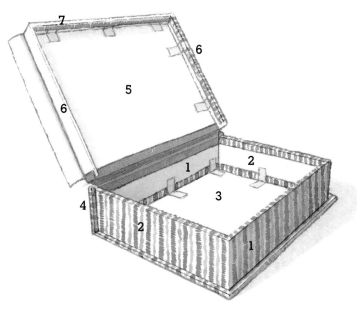

9 Doblar la tira de cinta por la mitad y pegarla por los cantos en el interior de la tapa, centrada, formando una presilla. Cortar una tira de tela de 110 × 6,5 cm. Rociar el revés de la tela con adhesivo y pegarla por dentro de las paredes de la caja, a 5 mm del borde superior.

10 Cortar un rectángulo de tela de 31 × 23 cm y pegarlo sobre la base del interior de la caja. Cortar un rectángulo de tela de 32,5 × 24 cm y pegarlo sobre el interior de la tapa.

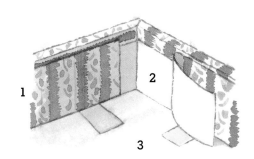

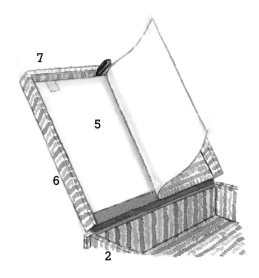

Complementar con...

Carpeta sin costura

Como complemento de los archivadores, se puede realizar una serie de accesorios de despacho, como esta original carpeta. Utilizar una tela con dibujo menudo y elegir uno de los colores del dibujo para el lomo y el lazo. La cinta de lino adhesiva utilizada en el lomo se puede adquirir en tiendas de material para encuadernación.

Materiales

- 0,50 m de tela de algodón de 137 cm de ancho
- Cartón
- 66 cm de cinta de lino autoadhesiva de 5 cm de ancho
- Apresto en aerosol
- Adhesivo en aerosol
- Pegamento fuerte para manualidades
- 60 cm de cinta de 1 cm de ancho
- Cúter
- Regla de acero
- Tapete de corte

Nota: La carpeta mide 25 × 31,5 cm.

Cortar

Con el cúter y la regla de acero y utilizando un tapete de corte, cortar cuatro rectángulos de cartón de 25 × 31,5 cm Con adhesivo en aerosol, pegarlos de dos en dos para hacer el frente y la trasera de la carpeta.

Rociar la tela por el revés con el apresto y dejarla secar del todo. Siguiendo el hilo de la tela, cortar dos rectángulos de 27 × 37 cm para el frente y la trasera y dos rectángulos de 26 × 33 cm para el interior.

Nota: Asegurarse de utilizar el adhesivo en aerosol en una zona bien ventilada.

 3 HORAS O MENOS

 PROYECTO SIN COSTURA

La lazada de cinta aporta un toque femenino a la carpeta.

1 Colocar el frente y la trasera de cartón para la carpeta uno junto a otro, dejando una separación de 1 cm. Retirar el papel protector de la cinta de lino y pegar la sección central de la cinta sobre el espacio, montando 2 cm sobre los bordes internos del cartón. Dar la vuelta a las piezas de cartón. Doblar la cinta sobre la unión de los cartones, arriba y abajo, casando los extremos en el centro. Éste será el interior de la carpeta.

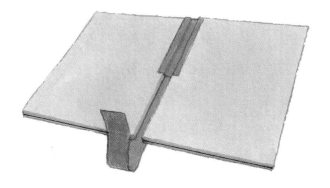

2 Rociar con adhesivo el revés de la pieza de tela para el frente. Pegarla sobre el exterior de la pieza frontal de la carpeta, de modo que la tela monte 1 cm sobre la cinta de lino. Trabajando desde el centro hacia los bordes, alisar la tela con las manos para eliminar cualquier burbuja.

3 Pegar una pieza de tela sobre el dorso de la trasera, igual que antes. Dar vuelta a la carpeta de modo que quede el interior hacia arriba. Doblar hacia el interior la tela que sobresale por los bordes, y pegarla, ingleteando las esquinas para que queden bonitas (ver la página 150).

4 Cortar la cinta en dos trozos iguales. Hallar el centro de los bordes del frente y de la trasera por el interior de la carpeta. Pegar en esos puntos un extremo de cada trozo de cinta, a 2,5 cm del borde. Coger ahora las piezas de tela para el interior: doblar hacia el revés 1,5 cm de los bordes. Rociar con adhesivo el revés de las dos piezas y aplicar pegamento en los bordes. Pegar las piezas en su sitio, alineando sus bordes con los de la tela que forra la parte exterior.

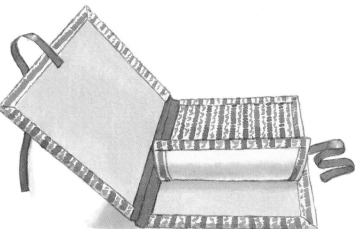

Cabecero tapizado

Este cabecero será parte importante de la decoración del dormitorio… y no precisa conocimientos de costura. Está acolchado sobre una capa de guata y confeccionado con una magnífica tela de rayas. Unas patas de madera lo mantienen por encima del nivel del colchón. Seguramente habrá que adaptar el largo de las patas a cada cama.

Materiales

- Papel para el patrón
- 1,50 m de tela de 140 cm de ancho
- Tablero de conglomerado de intensidad media, de 99 × 60 cm y 12 mm de grosor
- Sierra, gafas y mascarilla
- Lija de grano fino
- Regla y lápiz
- Taladradora de mano y broca
- 99 × 60 cm de guata de poliéster
- Adhesivo fuerte para manualidades
- Pistola grapadora y grapas adecuadas al conglomerado
- Punzón
- 60 cm de cinta de grosgrain de 25 mm de ancho
- 3 botones para forrar de 3 cm
- 3 botones normales
- Aguja larga e hilo
- 1,20 m de listón de madera de 3,5 × 1,5 cm de sección
- 4 tornillos para madera

Nota: El cabecero terminado mide 99 × 60 cm y está calculado para una cama individual estándar.

1 Dibujar una línea horizontal sobre el conglomerado a 36 cm del borde inferior. Marcar el centro de la línea y medir y hacer una marca a 23 cm del centro en cada sentido.

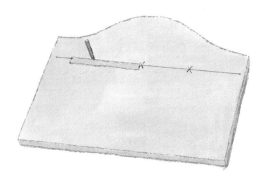

 DE 6 A 8 HORAS

 PROYECTO CON POCA COSTURA

Cortar

Hacer una plantilla para medio cabecero dibujando la forma curva a tamaño real en un papel doblado por la mitad, de manera que, al abrirlo, la forma quede perfectamente simétrica. Copiar la forma sobre el conglomerado. Trabajando en una zona bien ventilada, y protegiéndose con gafas y mascarilla, recortar la parte superior del cabecero son la sierra. Suavizar los cortes con lija y quitar bien el polvo. Cortar una pieza de tela de 119 × 80 cm para el frente del cabecero y de 110 × 70 cm para el dorso.

Las escarapelas son fáciles de hacer y son un elegante remate del cabecero.

2 Hacer un agujero en cada una de las marcas, para los botones. Colocar el cabecero encima de la guata, dibujar el contorno y recortar la guata. Pegar la guata sobre el frente del cabecero con adhesivo fuerte.

3 Poner el lado de la guata del cabecero sobre el revés del rectángulo de tela para el frente, de modo que sobresalga la tela por todos los bordes. Cortar la tela dejando 10 cm de borde todo alrededor del cabecero y siguiendo la forma de éste. Empezando por el borde inferior, doblar el borde de tela sobre el dorso del cabecero y graparlo.

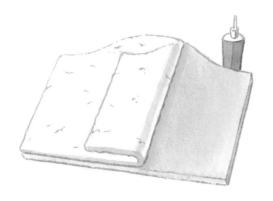

4 Poner la tela tirante e irla grapando por el borde superior del cabecero, dando unos cortes en la tela donde sea preciso para hacer las curvas. Tensar la tela hacia los laterales y graparla del mismo modo, doblando las esquinas para que queden bonitas. Pasar un punzón por cada agujero del tablero para marcar en la tela del frente la posición de los botones.

5 Extender el rectángulo de tela para el dorso con el derecho hacia abajo y colocar encima el cabecero. Dibujar el contorno del cabecero sobre la tela, retirarlo y recortar la tela, a 4 cm por dentro de la línea. Volver y planchar un borde de 2 cm todo alrededor, dando cortes en la tela donde sea preciso para hacer las curvas. Colocar la pieza con el revés sobre el dorso del cabecero, dejando un borde igual todo alrededor y graparla en su sitio.

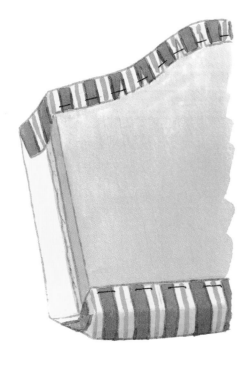

6 Cortar la cinta de grosgrain en tres trozos iguales. Haciendo una bastilla por un borde, fruncirlo y coser los dos extremos para hacer una escarapela. Rematar con unas puntadas. Forrar los tres botones de 3 cm con restos de tela, siguiendo las instrucciones del fabricante.

7 Dar unas puntadas en un botón normal cosiéndolo al dorso del cabecero y pasar la aguja por un agujero del cabecero hasta el frente. Pasar la aguja por una escarapela y por un botón forrado y de nuevo por el agujero, hacia el dorso, tirando fuerte de la hebra. Dar varias vueltas sobre el cuello del botón del dorso y rematar la hebra con unas puntadas. Coser de igual modo los otros dos botones con escarapela.

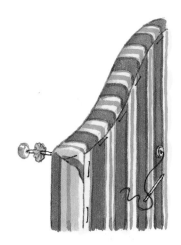

8 Cortar el listón de madera en dos trozos iguales y ponerlos a unos 15 cm de cada lado del dorso del cabecero y apoyándolos 20 cm en él, dejando el resto del listón por fuera. Perforar dos agujeros en las patas y el cabecero, a intervalos iguales, y atornillar las patas.

Consejo profesional:
Proyectos de gran tamaño

Cuando se manejan telas grandes y más aún maderas y herramientas de carpintería, se necesita una superficie de trabajo resistente y estable. Una mesa grande, con patas de tijera facilita el trabajo (y evita dolores de espalda) y se puede guardar doblada cuando no se utilice.

■ La tela se sujeta con un par de pesos mientras se corta, se mide y se montan las piezas, los cuales se pueden fabricar forrando un ladrillo de tela de tapicería o de fieltro grueso. Se envuelve el ladrillo como si fuera un regalo, pegando las uniones con pegamento fuerte para telas y grapando los extremos.

Funda de cabecero mullida

Esta funda, de acolchado mullido, se ajusta sobre un cabecero de madera y se sujeta con unos lazos en los costados. El cabecero debe tener el borde de arriba recto para que la funda siente bien. Se puede hacer la funda en cualquier tamaño, pero si la cama es grande, habrá que unir piezas de tela para obtener el ancho adecuado. En ese caso, se utiliza todo el ancho de la tela en el centro y los costados se hacen con una tela a juego. Elegir una tela que combine con la ropa de cama.

Materiales

- 1 m de tela para tapicería de algodón, de 137 cm de ancho (añadir algo más para centrar un motivo grande)
- 1,20 m de tela de algodón para forro, de 137 cm de ancho
- 94 × 97 cm de guata de poliéster de 250 g
- 2 m de cordón para vivo
- Hilo de poliéster/algodón coordinado

Nota: El cabecero mide 91 × 94 cm.

Cortar

Nota: Se incluye un margen de costura de 1,5 cm de no indicarse otra cosa.

De la tela de tapicería, cortar un rectángulo de 94 × 52 cm para el frente del cabecero, un rectángulo de 94 × 48 cm para la trasera y ocho tiras de 30 × 9 cm para los lazos.

De la tela para forro, cortar un rectángulo de 94 × 97 cm y dos de 67 × 33 cm para los costados.

Hacer un vivo de 2 m con la tela para forro (ver la página 155).

1 Doblar una de las tiras para lazo por la mitad a lo largo, derecho con derecho, y hacer una costura a máquina por el borde largo y por un extremo. Recortar el margen de costura, dar unos cortes en las esquinas y volver la tira del derecho. Plancharla, aplastando la costura que debe quedar a un lado. Hacer los otros siete lazos del mismo modo.

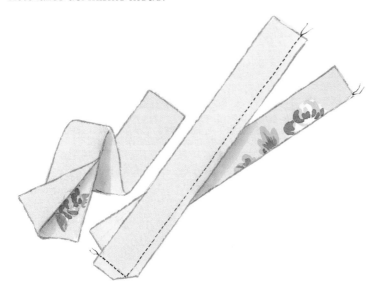

3 HORAS O MENOS

PROYECTO CON POCA COSTURA

Las telas con motivos de flores o con mucho dibujo requieren una confección sencilla.

2 Doblar una de las piezas de los costados por la mitad a lo largo, derecho con derecho. Coser por los dos bordes laterales, dejando abierto el lado opuesto al doblez. Recortar la costura, volver la pieza del derecho y plancharla. Hacer el otro costado igual.

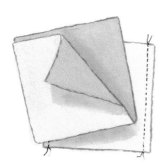

3 Prender por el borde superior los rectángulos del frente y de la trasera, derecho con derecho, y hacer una costura a máquina. Planchar la costura abierta.

4 Con el derecho de la tela hacia arriba, marcar el centro de cada borde lateral con un alfiler. Prender y luego hilvanar una tira de vivo a lo largo de cada borde lateral, poniendo los cantos hacia fuera y el vivo justo por dentro de la línea de costura. Medir 9 cm a cada lado del alfiler del centro y prender las tiras para lazo haciendo corresponder las parejas a cada lado, alineando los cantos y con las tiras hacia dentro.

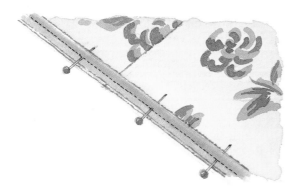

5 Prender otros dos pares de tiras en su sitio, dejando 9 cm de separación entre éstas y los primeros pares e hilvanar todo ello.

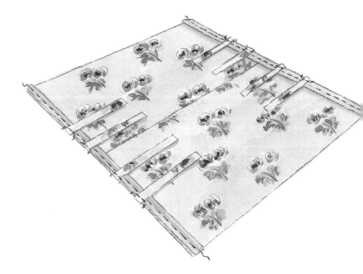

6 Prender una tira del costado a cada lado de la pieza trasera, situando el borde superior del costado 5 mm por encima de la costura de unión de la trasera con el frente, por encima de dos tiras de lazo y con los cantos hacia fuera. Hilvanar las tiras de los costados. Colocar la tela para forro encima de la pieza de tapicería, derecho con derecho.

7 Extender la guata encima de la tela de forro e hilvanar todas las capas juntas. Hacer una costura a máquina por los cuatro lados, dejando una abertura de 45 cm en el borde inferior de la trasera. Recortar las costuras, dar unos cortes en las esquinas y volver la funda de cabecero del derecho. Coser a repulgo la abertura y planchar ligeramente.

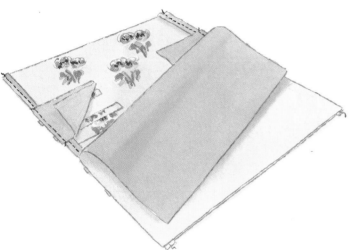

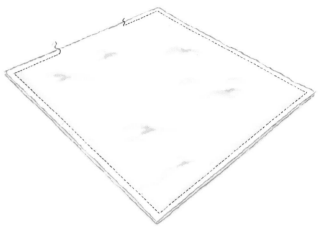

Consejo profesional: Planchado

Para lograr un acabado profesional, es fundamental saber planchar bien. Utilizar una tela –lienzo de algodón o similar– entre la plancha y la tela si se plancha del derecho, para que no salgan brillos.

■ Las costuras se planchan primero aplastándolas, sin abrir, por cada lado, para hundir las puntadas. Al planchar, levantar y bajar la plancha, sin arrastrarla sobre la tela.

■ Luego se abre la costura pasando la uña del pulgar o la punta de la plancha a lo largo de la costura. Por último, planchar la costura abierta.

■ Si la costura va a quedar en un borde, como en estos lazos, se coloca en su sitio con los dedos, después de volver la tira hacia el derecho. Si fuera necesario, se sujeta en su sitio con un hilván (no muy apretado). Utilizar un paño y vapor ¡y trabajar sin prisa!

Técnicas

Equipo de costura esencial

Máquina de coser

Una buena máquina de coser proporciona años de servicio y con ella se pueden confeccionar todas las ropas de casa que se vayan a necesitar. Las máquinas modernas permiten realizar toda clase de tareas automatizadas, aunque luego no se utilice toda la amplia selección de puntos que ofrecen. Si no se van a realizar bordados ni se tiene intención de hacer experimentos con puntos de fantasía, probablemente no haga falta una máquina tan compleja y sofisticada.

Si se compra una máquina de segunda mano, comprobar que se pueda disponer de repuestos.

Características de la máquina de coser

A la hora de elegir una máquina de coser, se deben buscar las prestaciones que realmente se vayan a utilizar. Probar si es fácil regular la tensión del hilo y el largo de las puntadas y la precisión de un zigzag para hacer ojales, rematar cantos o coser aplicaciones.

El prensatelas básico que viene con la máquina sirve para casi todas las labores. También se necesita un prensatelas para vivo o cremallera para coser vivos o galones gruesos en las costuras. La placa de la base suele llevar unas marcas para los distintos anchos de costura. Si no las incluye, se pone una tirita de cinta de pintor sobre la placa como guía para que las costuras queden rectas y de un ancho uniforme.

Cuidados de la máquina de coser

La máquina se debe limpiar con regularidad, pasando un cepillito para eliminar hilachas, hebras sueltas, alfileres rotos y restos de agujas que se puedan haber acumulado debajo de la placa de costura. Engrasar la máquina siguiendo las instrucciones de mantenimiento del fabricante. Cambiar la aguja con regularidad y utilizar la más adecuada al grosor de la tela que se cosa.

Tijeras

Existen varios tipos de tijeras. Utilizar las que correspondan a la labor:

Tijeras de modista: tienen hojas largas y, para que no pierdan filo, se deben utilizar únicamente para cortar tela. Los aros del mango tienen forma oblicua para poder cortar con precisión.

Tijeras de costura: son más pequeñas que las de modista y tienen los aros del mango rectos. Se pueden usar para cortar picos en las esquinas y en las costuras en curva. Se deben tener junto a la máquina de coser y a mano para cortar el hilo al terminar una costura.

Tijeras de bordar: son pequeñas, con hojas cortas y finas, terminadas en puntas. Sirven para recortar motivos intrincados y para dar cortes en rincones pequeños.

Tijeras de papelería: solamente se utilizarán para cortar patrones y plantillas de papel, cartulina o cartón. Para estos materiales no se usarán tijeras de modista o de costura porque perderán filo.

Agujas

Existen distintos tipos de agujas para realizar a mano diferentes labores.

Las **sharp** son las mejores para labores en general y existen en distintos largos: de mediano a largo para hilvanar y corto para dobladillo y repulgo.

Las **agujas de máquin**a deben ser las adecuadas al grosor de la tela. Una aguja 12/80 o 14/90 sirve para casi todo tipo de labores; para una tela fina, elegir una aguja más fina, como 10/70.

Dedal

A veces cuesta trabajo acostumbrarse a usar dedal, pero en cuanto se aprende a manejarlo no se puede prescindir de él. El dedal protege el dedo contra pinchazos y ofrece una superficie firme para empujar la aguja al coser telas fuertes.

Alfileres de modista

Existen muchos tipos de alfileres en el mercado, de distinto largo y grosor. Los que tienen cabeza de cristal son fáciles de ver y de agarrar. Son mejores los de cabeza de cristal que los de plástico que se funden con la plancha caliente. Para telas finas se utilizan alfileres más largos y finos.

Los alfileres se comprarán de acero inoxidable para evitar que puedan manchar las telas.

Hilos

Si no se encuentra un hilo del color exacto que se desea, se puede utilizar uno un poco más oscuro que la tela. Los hilos de coser pueden ser de fibras naturales o artificiales y se optará por el de la misma fibra que la tela. El algodón mercerizado sirve para tejidos de algodón y de lino.

Para hilvanar, se puede utilizar un hilo ya usado o hilo de hilvanar, que no está mercerizado, por lo que se parte con facilidad y se quita bien.

Herramientas de marcado

Conviene disponer de herramientas de marcado que no dejen marcas indelebles en la tela.

El jaboncillo de sastre y los lápices de tiza que se pueden afilar para dejarlos con punta fina, se eliminan con un cepillado. Elegirlos de color parecido al de la tela, pero que se distinga.

Los rotuladores de modista dejan una marca que se disuelve en agua, pero los hay sensibles a la luz que desaparecen totalmente.

El papel carbón de modista se puede utilizar para dibujar líneas de costura o calcar motivos de bordado. Se usa con un lápiz afilado o con una ruedecita dentada que marca las líneas a puntitos.

La plancha

Para lograr un acabado impecable, de profesional, planchar siempre las costuras y los dobladillos conforme se hacen para que los bordes queden perfilados y definidos. Poner siempre la plancha a la temperatura recomendada para la tela. La plancha de vapor se recomienda para fibras naturales. Expulsar la primera salida de vapor sobre un trozo de tela que no sirva para evitar sedimentos que puedan manchar la tela y mantener limpia la suela de la plancha. Una tabla bien mullida, también facilita el planchado.

Cinta métrica

Tener siempre a mano una cinta métrica, además de una regla y un juego de escuadras para dibujar patrones.

Preparar y cortar las telas

Preparación de la tela

Lavar siempre la tela antes de cortarla para evitar que encoja. Si no se tiene mucha experiencia, es recomendable empezar utilizando telas de cuadros y de rayas para seguir bien el hilo y poder dibujar el patrón siguiendo líneas rectas. Los orillos de la tela están tejidos más tupidos que el resto, por lo que se cortan o se les dan unos cortes para aflojar esa tensión.

Corte

Para que las labores de tapicería resistan mucho uso y desgaste, hay que saber cómo va el hilo de la tela. Las telas que se cortan al hilo resultan más resistentes y se deforman menos. La excepción son las tiras al bies, que deben ser un poco elásticas para adaptarse a curvas y esquinas.

En las telas de buena calidad, el dibujo está estampado al hilo, lo que permite seguirlo al cortar. Si un dibujo está ligeramente desviado, hay

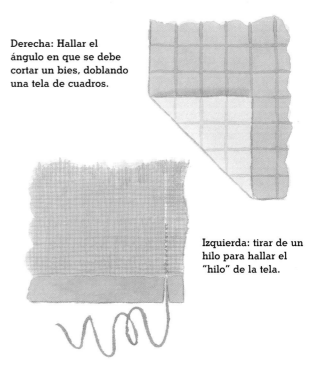

Derecha: Hallar el ángulo en que se debe cortar un bies, doblando una tela de cuadros.

Izquierda: tirar de un hilo para hallar el "hilo" de la tela.

que cortar siguiendo el dibujo, para que casen las piezas como cortinas. Pero si el dibujo se aparta decididamente del hilo, hay que devolver la tela a la tienda porque no es de buena calidad.

Utilización del cúter giratorio

Para cortar muchas piezas de tela de igual medida y con bordes rectos, el cúter giratorio ahorra tiempo y ofrece una gran precisión de corte ya que permite cortar varias capas a la vez. Es un buen modo de cortar tiras de tela que luego se cortarán en rectángulos, cuadrados o triángulos menores. La cuchilla debe estar muy bien afilada y tener una protección adecuada.

Derecha: Para cortar con cúter giratorio, sostener la regla sobre la zona que se vaya a conservar y pasar el cúter apoyándolo contra el borde de la regla, lejos del cuerpo.

Tapete de corte

El cúter también necesita una base autocicatrizante que proteja la mesa y una regla para cúter giratorio, de plástico transparente grueso con bordes rectos y en ángulo que se puedan seguir con la cuchilla.

Costura sencilla

Tensión de la máquina de coser

Una vez se ha dado con la tensión adecuada en la máquina, apenas habrá necesidad de corregirla, aunque a veces el grosor de la tela y un comportamiento caprichoso de la máquina obliguen a rectificarla. Las puntadas tienen que quedar iguales con el hilo de la bobina y el de la canilla centrados en el grosor de la tela. Si el hilo de arriba está demasiado tirante o el de la canilla demasiado flojo, es que algo falla y hay que comprobar la tensión. Aquí se muestra un corte de una costura.

Tensión correcta: aquí se ve el corte de una costura, con las puntadas iguales por las dos caras de la tela.

Hilo de abajo demasiado tirante: en este corte transversal, se ve que el hilo de la canilla forma una línea recta, mientras que el hilo de arriba asoma por el revés de la costura.

Hilo de arriba demasiado tirante: aquí se ve cómo el hilo de arriba forma una línea recta y el de la canilla se ve en la costura.

Puntos a mano básicos

Aunque se hagan muchas costuras a máquina, en ocasiones hay que hacer algunos puntos básicos a mano.

Hilvanar

En general bastan unos alfileres para sujetar las telas hasta el momento de coserlas, pero en ocasiones hay que hilvanar las capas con puntadas largas para mayor precisión y seguridad. El hilván es un punto provisional que se usa para que no se mueva una tela: una vez cosida, se quita

el hilván. Para hilvanar se utiliza hilo de recuperación y una aguja larga para que las puntadas queden largas y rectas.

Repulgo

El repulgo, o punto deslizado, se usa para cerrar una abertura en una costura lateral o para rematar un dobladillo. Se pasa la aguja por el borde doblado y luego por la tela de debajo, cogiendo unos pocos hilos de tela cada vez. Las puntadas

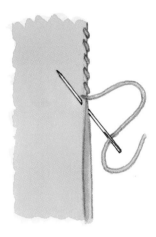

deben quedar pequeñas y a espacios regulares. Si se hace bien, la costura queda prácticamente invisible por los dos lados.

Punto de ojal

Los ojales se suelen coser a máquina, pero también se pueden hacer a mano. El punto de ojal es un punto fuerte y resistente con el que rematar los cantos de una tela. También se utiliza para coser anillas y ganchos de cortinas en galones y tejidos.

Salir con la aguja hacia el derecho por la tela, a la distancia deseada del canto, y pasar la hebra por debajo de la punta de la aguja. Tirar de la

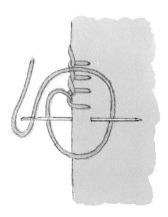

aguja para formar una cabeza con presilla apretada sobre el canto de la tela. Seguir dando puntadas iguales, una junto a otra, para que los puntos formen una banda continua que no deje ver la tela por debajo.

Punto de dobladillo

Para sujetar un dobladillo se utiliza un repulgo, pero también se puede hacer algo más abierto y ligero para terminar antes el dobladillo. Pasar la aguja desde el borde doblado a la tela, cogiendo

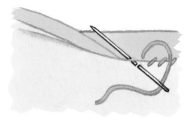

unos hilos y volver a pasar la aguja por el borde doblado, recorriendo una pequeña distancia.

Costuras y bajos

Costura sencilla

Para que al coser a máquina las costuras queden rectas y las puntadas iguales, se utilizan como guía las marcas en la placa de base. Las costuras se hacen generalmente de forma que los bordes queden por dentro de la pieza, escondidos. Para eso, se colocan las telas derecho con derecho y se prenden a intervalos regulares. Los alfileres se pueden poner siguiendo la costura (en cuyo caso se van quitando antes de que la aguja de la máquina llegue a ellos) o bien se ponen perpendiculares a la costura. De todos modos hay que tener cuidado cuando pase sobre ellos el prensatelas, pero la aguja tiene menos posibilidades de tropezar con ellos.

Cuando se hagan costuras con pliegues o frunces, primero hay que hilvanar las capas.

En varios proyectos de este libro se unen telas haciendo las costuras por el derecho, pero luego se tapan con cintas o galones que se cosen por encima.

Rematar costuras

Los márgenes de las costuras se rematan para que no se deshagan y resistan el uso y los lavados. Se hace un zigzag a máquina por encima de los cantos o, si se desea un acabado realmente profesional, se utiliza un punto de remallado si la máquina dispone de él. También se pueden recortar los cantos con tijeras de piquillo.

Esquinas

Cuando haya que volver una esquina con la máquina, coser hasta el margen de costura del lado contiguo, dejando la aguja pinchada en la tela. Levantar el prensatelas y girar 90° la tela para que el prensatelas quede listo para coser el otro lado. Bajar el prensatelas y seguir cosiendo. Cortar los picos de las esquinas hasta 3 mm de la costura, antes de volver la pieza del derecho para que las esquinas no abulten.

Dobladillo

El dobladillo se dobla dos veces, siendo el primer doblez más corto que el segundo. Planchar los dobleces, prenderlos y luego hilvanarlos en su sitio. El dobladillo se puede coser ahora a máquina justo por dentro del doblez, o a mano a punto de dobladillo, si no se quiere que se vea la costura.

Esquinas ingleteadas

Cuando dos dobladillos se encuentran en una esquina (en una cortina por ejemplo), el ingleteado logra un acabado profesional y evita que las esquinas abulten. Se dobla la tela en la esquina de manera que la línea de costura quede exactamente a mitad de camino de ambos lados y forme un ángulo de 45°.

1. Doblar un borde del mismo ancho en ambos lados y planchar. Desdoblar los dobleces y doblar ahora la esquina para formar un triángulo que monte sobre las líneas de doblez en la esquina y planchar.

2. Doblar la esquina, derecho con derecho, de modo que casen los cantos y los dobleces. Prender y hacer una costura sobre la diagonal planchada.

3. Recortar a 6 mm de la costura y planchar la costura abierta. Volver hacia el derecho y planchar, aplastando. Coser los dobladillos en su sitio y coser la diagonal a repulgo.

Cierres

Cremalleras

Las cremalleras permiten quitar las fundas con facilidad para lavarlas, se deben situar cerca de un borde o en una costura para que no se noten mucho.

1. Prender las telas, derecho con derecho. Con alfileres, marcar un espacio en el centro, del mismo largo que la cremallera (medida justo por fuera de las retenciones). Coser desde los bordes de la tela hasta las marcas, dejando el centro abierto. Hilvanar la abertura a máquina y planchar la costura abierta.

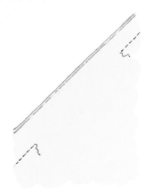

2. Colocar la cremallera en la abertura por debajo y prenderla; luego, hilvanarla en su sitio, sin abrirla.

3. Con el prensatelas para cremalleras, coser a máquina la cremallera por el derecho, haciendo una

costura a cada lado, a igual distancia de la abertura, y luego atravesando los extremos. Quitar los hilvanes hechos a mano y a máquina. Abrir la cremallera.

Cremallera en una costura con vivo

1. Poner el vivo en un lado de la costura, pero sin cerrar la abertura. Abrir la cremallera y ponerla boca abajo sobre la costura viveada, alineando los dientes con la costura del vivo. Hilvanar la cremallera en su sitio y coserla por la costura, a 3 mm de los dientes.

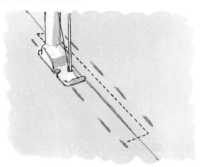

2. Volver hacia atrás el margen de costura de forma que el vivo quede en el borde de la abertura. Cerrar la cremallera. Planchar vuelto hacia abajo el margen de costura de la otra pieza de tela.

3. Situar el borde doblado encima de la cremallera, casándolo con el vivo. Hilvanar a lo largo de la costura, cogiendo todas las capas y luego coser a máquina a 6 mm del borde doblado y luego a través de los extremos de la cremallera, hasta el vivo. Quitar los hilvanes.

Ojales a mano

1. Dibujar suavemente a lápiz los bordes externos del ojal y unir las líneas en los extremos, formando un rectángulo. Hacer una bastilla menuda o un pespunte por las líneas de los bordes.

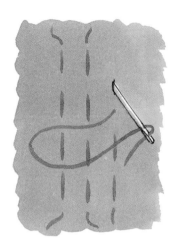

2. Con tijeras de bordar bien afiladas, dar un corte en el centro del ojal. Siguiendo las indicaciones de la página 149, bordar el ojal a lo largo de los dos bordes, tapando con las puntadas la bastilla o el pespunte de modo que los dos lados queden iguales.

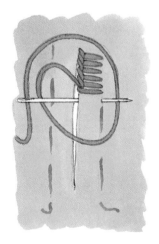

3. Hacer unas puntadas en abanico en los extremos o bien hacer unos puntos rasos del ancho de todo el ojal.

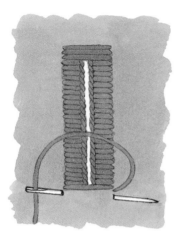

Ojales a máquina

Los distintos tipos de máquina tienen métodos diferentes de hacer ojales y se deben consultar las instrucciones que acompañan a la máquina.

Los ojales hechos a máquina suelen consistir en dos filas de zigzag muy junto, cosidas una pegando a la otra, con un bloque de hilvanes en cada extremo que las remata.

La línea entre las dos filas de zigzag se corta con un abridor de costura o con tijeras de bordar.

1. Marcar la línea central y el largo del ojal con jaboncillo o lápiz blando y hacer un hilván sobre las líneas.

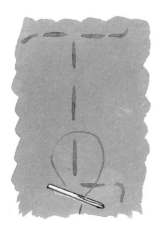

2. Regular la máquina para hacer un zigzag muy apretado. Hacer una fila de puntos entre las líneas transversales, a un lado y otro de la central, y bordar por encima a punto raso.

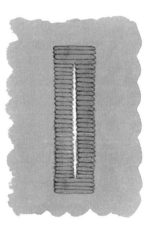

3. Hacer unas puntadas largas en los dos extremos del ojal. Cortar la abertura.

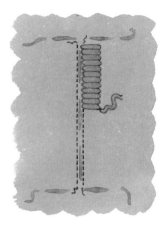

Pegar botones

1. Cosido de un botón de dos agujeros.

2. Cosido de un botón de cuatro agujeros (en cruz).

3. Cosido de un botón con cuello.

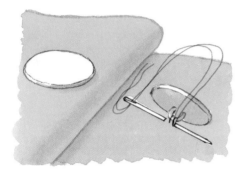

Forrado de botones

Los botones para forrar (se venden en "kits") suelen ser de plástico o de metal troquelado y hay dos maneras de forrarlos. En ambas hay que recortar un disco de tela con el que cubrir el molde. En el paquete se suele incluir una plantilla del tamaño del disco.

En el primer tipo de molde, hay que hacer una bastilla menuda por todo el borde del disco de tela y tirar de los puntos para fruncir los bordes. Se mete el molde dentro del disco y se tira bien de los puntos para encerrarlo. Se remata con unas puntadas que sujeten el frunce. El molde se ajusta en su sitio apretándolo sobre la base o bien entre unas patitas de la base que se aprietan contra la tela.

El segundo tipo de molde lleva un borde dentado. Se estira el disco de tela sobre el molde y se sujeta con los bordes afilados. Se coloca la base encerrando en ella los bordes de la tela.

Galones decorativos

Existe una gran cantidad de fornituras de pasamanería, galones, borlas y flecos con los que adornar las tapicerías. Un simple ribete, un vivo, una puntilla de encaje, una trencilla, un piquillo. Un galón con cuentas son algunas de las opciones que se ofrecen. También se pueden fabricar borlas (ver la página 93).

Si se utiliza un galón como un remate con cuentas u otro que sea duro y se pueda romper, conviene protegerlo con papel de celulosa antes de coserlo en el borde de la labor, para que no roce con la placa de la máquina, y no haga ruido al coserlo.

Ribetes

Un ribete de tela es el remate decorativo más utilizado. El acabado adquiere un aspecto profesional en fundas de cojines y de sillas, y además resulta discreto. Se pueden hacer con la misma tela, con una tela coordinada o bien elegir un color de la tapicería para hacerlo liso en ese tono y destacarlo.

Los bordes rectos (de cojines cuadrados, por ejemplo) se pueden ribetear con tiras de tela cortada al hilo.

Los bordes con curvas se deben cortar al bies para que cedan un poco y se pueda seguir la forma de las curvas. Se dan unos cortes en el margen de costura para que el ribete no tire en las curvas.

El cordón para vivear se puede forrar con un ribete para que el borde quede suave, aunque sin perder definición. También se puede utilizar un vivo ya confeccionado o un remate de cordón para conseguir el mismo efecto. El cordón para vivear puede ser de varios grosores, tan fino o tan voluminoso como se desee. Cuando se cortan tiras de tela para forrar el cordón, la parte que se vaya a coser en la costura debe tener el mismo ancho que el margen de costura, una vez forrado el cordón y hecha la costura del vivo.

Ribete al bies

1. Cortar unas tiras de tela (al hilo si se ribetean bordes rectos o en diagonal para bordes en curva) de modo que, una vez unidas, tengan el largo deseado.

2. Para una tira continua, cortar un rectángulo que sea por lo menos dos veces más largo que ancho. Poniendo los anchos arriba y abajo, doblar la esquina superior derecha de forma que el borde

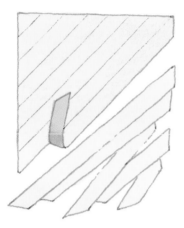

superior coincida con el borde izquierdo del rectángulo, formando un triángulo rectángulo. Planchar el doblez y cortar el triángulo por el doblez. Poniendo derecho con derecho, coser el borde recto de arriba del triángulo con el lado corto opuesto del rectángulo, dejando un margen de 6 mm. Planchar la costura abierta. Dibujar en la tela unas líneas con una separación igual al ancho que se desee para las tiras y paralelas a los extremos en diagonal. Numerar las filas de este modo, la n.º 1 es la primera fila de la izquierda, la n.º 2 es la primera fila de la derecha, la segunda fila de la izquierda es también 2, etc. Doblar la pieza derecho con derecho y casando los números 2 con 2, 3 con 3, etc.; coserlos para obtener un tubo. Planchar la costura abierta. Volver del derecho y, empezando por arriba, cortar por las líneas dibujadas para que quede una tira continua.

3. Para unir trozos en una tira continua, prender dos extremos, derecho con derecho, por la línea del hilo de la tela, como en el dibujo.

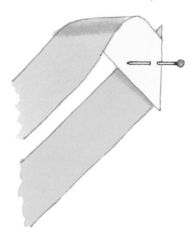

4. Coser la costura y plancharla abierta, cortando las puntas que sobresalen.

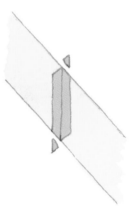

5. Si la tira es para ribetear y no para un vivo, se doblan los bordes hacia el centro, a lo largo, y se planchan. Después, doblar y planchar la tira doblada por la mitad.

Doblar un bies con el perfilador

Una maquinita perfiladora de bies es un artilugio que acelera considerablemente la tarea de doblar la tira. Se corta el bies del largo y ancho necesarios, como se indicaba anteriormente, uniendo trozos si hiciera falta. Pasar la tira por el lado ancho del perfilador, con el revés mirando hacia arriba. Prender la tira y tirar de ella por el otro lado de la maquinita, planchándola conforme se va doblando. Los bordes quedan doblados automáticamente. Abrir el bies y coserlo en el ribete siguiendo los dobleces.

Ribeteado

El ribete se puede coser por el derecho de la pieza que se esté ribeteando y luego doblarlo hacia el revés según se explica más adelante. También se puede coser por el revés y doblarlo hacia el derecho. El primer método es más adecuado si se cose a dobladillo a mano, mientras que el segundo permite coser a máquina por el derecho y la costura a máquina queda mejor hecha.

1. Poniendo derecho con derecho, prender un borde del ribete sobre el canto de la tela.

2. Hacer una costura a lo largo de la línea doblada, quitando los alfileres conforme se cose. Dar unos cortes en el margen de costura para formar las curvas.

3. Doblar el ribete hacia el revés de la pieza, planchar un doblez a lo largo del canto del bies, si no estaba ya planchado, y prenderlo en un sitio de modo que el borde doblado monte apenas sobre la costura. Coserlo a máquina junto al doblez o hacer un dobladillo a mano.

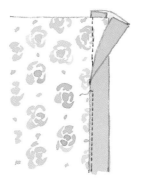

Vivos

1. Hacer una tira al bies como para ribetear, pero dejarla sin doblar. Poniéndola revés con revés y envolviendo con ella el cordón del vivo, doblar la tira por la mitad a lo largo. Con el prensatelas para vivos, hacer una costura junto al cordón.

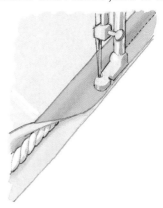

2. Prender el vivo en el derecho de la tela siguiendo el borde, poniendo los cantos del vivo hacia fuera y el cordón hacia dentro siguiendo la línea de costura. Dar unos cortes en el margen de costura en las curvas y en las esquinas. Hilvanarlo en su sitio.

3. Donde se unan los extremos del vivo, coserlos abriendo un poco la tira de tela y retorciendo las hebras del cordón para unirlas. Poniendo los bordes de la tela derecho con derecho, coser los extremos de la tira, recortar el margen y planchar la costura abierta. Volver a doblar el bies como antes y seguir cosiendo junto al cordón.

4. Poner la tela del otro lado por encima, con el derecho hacia abajo, si se utiliza. Hacer la costura a máquina, también junto al cordón.

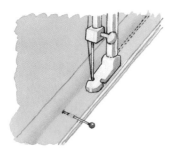

Cosido de otros galones decorativos

Otros galones y cintas se cosen en las costuras igual que el vivo. Si el galón es grueso, para coserlo se utiliza el prensatelas para cremalleras o para vivos.

Los galones que lleven una banda decorativa en un borde se pueden coser a mano, una vez terminada la pieza, haciendo un repulgo para sujetar bien el galón.

1. Prender el galón sobre el derecho de la pieza e hilvanarlo.

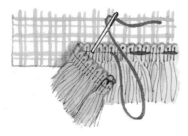

2. Hacer una costura a máquina por el derecho de la pieza, o bien coser el galón a mano como un dobladillo si se quiere una costura invisible.

Las cintas y galones son elementos decorativos muy utilizados en tapicerías para casa y para ocultar costuras y cantos. Prender e hilvanar la cinta en su sitio y hacer una costura por el derecho, junto a los dos bordes de la cinta.

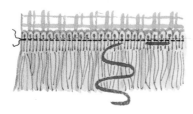

Cortinas

Las cortinas son tan importantes que se han escrito libros enteros dedicados a ellas. Para proyectos fáciles y rápidos, como los de este libro, éstas son las directrices fundamentales.

Medidas

Para calcular las dimensiones de las cortinas, hay que saber exactamente dónde se va a situar la parte alta de la cortina en relación con la ventana sobre la que vaya a ir, lo que implica colocar antes la barra o el riel.

Instalación de la cortina

Los rieles son unas barras disimuladas, con anillas colgando por el borde inferior. La parte alta de la cortina suele tapar el riel que queda oculto cuando están corridas las cortinas. Los rieles se pueden fijar arriba de una ventana, por fuera o por dentro si la ventana queda hundida, y pueden seguir la forma de una ventana redondeada.

Las barras suelen quedar visibles por encima de la cortina, que cuelga, o bien mediante trabillas, que se atan o se pasan sobre la barra, o mediante ganchos que se ponen en el galón de la cortina y se introducen por las anillas que se deslizan sobre la barra. El galón se cose de forma que la cortina termine justo debajo de la anilla. Las barras se pueden fijar por encima del marco de la ventana, con un embellecedor en cada extremo, o bien por dentro del hueco de la ventana con sujeciones especiales en los extremos.

Altura de la cortina

Hay que determinar si las cortinas quedarán mejor hasta el borde de la ventana o hasta el suelo o hasta una altura intermedia. Incluso puede quedar algo más larga que la altura hasta el suelo para apoyar y formar alguna arruga sobre el suelo. Medir el largo desde la parte alta del riel o justo desde debajo de la barra.

Cantidad de tela

El número de anchos necesario para una ventana depende del largo del riel o de la barra y del estilo de cortina que se elija. Algunas cabecillas requieren más tela que otras. En las páginas 157 y 158 se ven cuatro de los tipos de galones de frunce más utilizados; para cada uno se especifica el número de anchos de cortina que se necesita para conseguir el vuelo adecuado.

Número de anchos

Para calcular el número de anchos necesario, se multiplica el vuelo de la tela por el largo del riel o de la barra, se divide esta cantidad por un ancho de la tela y se redondea hasta el número entero siguiente. Para parejas de cortinas, se divide la cantidad por dos para hallar el número de anchos que hay que unir para formar una sola cortina. Los medios anchos se añaden en los bordes exteriores de cada cortina. Las parejas deben ser idénticas.

Largo de las cortinas

Multiplicar la altura de la cortina por el número de anchos necesarios y añadir algo más para el bajo y el dobladillo de la cabeza. Después del primer largo de tela, se añade el largo del motivo a cada largo siguiente –por ejemplo, si el motivo de la tela mide 35 cm, para una cortina que requiere cuatro largos de tela, habrá que añadir 35 cm × 3 a la cantidad total–. Los fabricantes indican cuánto mide el motivo de la tela elegida. Con dibujos pequeños y con ondas, apenas se nota la diferencia, pero los motivos grandes requieren mucha tela extra y las cortinas resultan más caras.

Tela de forro se necesita la misma cantidad que de tela de tapicería, pero sin el extra para casar los motivos. Las telas de forro se pueden comprar del mismo ancho que las de tapicería, y se elige la que mejor vaya con la tela de la cortina.

Galones de frunce y pliegues

El galón de frunce está pensado para que el vuelo de la tela quede formando frunces o pliegues iguales y al mismo tiempo ofrece la posibilidad de colgar la cortina del riel o de la barra. Si la cortina no lleva bandó, la cabeza de la cortina adquiere mayor importancia. Se pueden poner galones de varios tipos y se elegirán de acuerdo con el resultado que se desee, con el peso de la cortina y con las preferencias personales.

Los cordones que recorren el galón se deben anudar en cada extremo. Se tira de ellos hacia el

borde exterior de la cortina y se les hace un nudo cuando se ha conseguido el nivel de plisado o fruncido adecuado. Los cordones se dejan sin cortar para poderlos aflojar para lavar la cortina.

Los distintos tipos de galón requieren anchos de cortina diferentes para lograr mejores resultados.

Galón de frunce

El galón de frunce permite fruncir la cabeza de cortinas finas, como las de cocina sin forrar. Es de algodón o de fibra sintética y va muy bien para frunces finitos y telas ligeras. Cuando se utilice este tipo de galón, se calcula 1 ½ veces el ancho de la barra (o hasta 3 veces para visillos).

Pliegues de lápiz

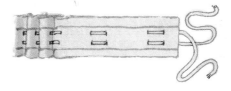

El galón de pliegues de lápiz forma una cabeza de frunces profundos e iguales y sirve para cualquier grosor de cortina, forrada o sin forrar. Lleva dos filas de pasadores para ganchos. Si se quiere que la cortina tape la barra. Se fijan los ganchos en los pasadores de la fila inferior; si se desea que la cortina cuelgue de la barra, los ganchos se fijan en la fila superior. El galón de pliegues de lápiz requiere de 2 ¼ a 2 ½ veces el ancho de la barra.

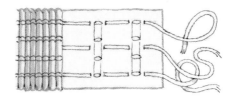

Galón para pliegues triples

El galón para pliegues triples permite hacer frunces profundos con tres bordes, y espacios lisos entre medias. Va bien para cortinas gruesas, forradas o quizá con entretela. Hay que tirar de los cordones para fruncir el galón y entender cómo se van a formar los frunces, porque los pliegues van a quedar espaciados por el borde superior de la cortina, con una parte lisa a cada lado. Este estilo requiere un gancho doble, con una uña para cada pliegue, que se pasa por los pasadores en la base de cada pliegue, para tapar la barra. Conviene dar unas puntadas a mano en la base de cada pliegue, por el derecho, para mantener los pliegues cerrados. Si se utiliza un galón de pliegue triple, hay que calcular unas 2 veces l ancho de la barra.

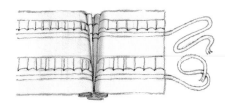

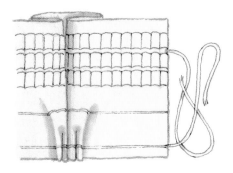

Galón para pliegues cilíndricos o de copa

Los galones para pliegues cilíndricos o de copa producen un efecto de tubo. Cada pliegue se puede rellenar con papel de celulosa enrollado para darle mayor definición. Si se utiliza este tipo de galón, se calcula de 2 a 2 ¼ veces el ancho de la barra.

Fundas para sillas

Las fundas para sillas quedan con aspecto más profesional cuando están bien ajustadas y las costuras siguen las líneas de la silla, sin zonas flojas ni bolsas. Si no se han hecho antes, se empieza por hacer fundas de asiento sencillas, sin armar, antes de embarcarse en proyectos a la medida y con bordes viveados.

Es aconsejable hacer una funda con una tela de prueba antes de cortar las piezas de una tela de tapicería cara. De este modo se comprueba si la funda queda bien en el asiento y se pueden hacer las rectificaciones precisas para ajustarla. También se calcula mejor la cantidad de tela que se necesita porque se pueden colocar las piezas al hilo sobre una sábana vieja doblada al ancho de la tela y medir la tela. Hay que situar el patrón sobre la tela de tapicería y casar o centrar los motivos en las piezas según corresponda.

Para ajustar la funda, se prenden las piezas de tela por el revés encima de la silla que se vaya a forrar y se van prendiendo las piezas por las costuras. Se debe dejar un poco de holgura para poder quitar y poner las fundas fácilmente cuando haya que lavarlas.

Índice alfabético